LE SILENCE
DES HOMARDS

DU MÊME AUTEUR

A compter de 2003, les San-Antonio seront numérotés par ordre chronologique d'écriture de Frédéric Dard, qui est aussi l'ordre originel des parutions.
Cette décision entraîne un changement de numérotation des S-A n° 1 à 107. Par contre, la numérotation des S-A n° 108 à 175 reste inchangée. (Voir à la fin de ce volume le tableau de correspondance entre l'ancienne numérotation et celle indiquée ci-dessous.)

Hors série :

Œuvres complètes :

Vingt-neuf tomes parus.

Morceaux choisis :

Mes délirades

SAN-ANTONIO

LE SILENCE
DES HOMARDS

ROMAN HYPERBOLIQUE

Fleuve Noir

Le papier de cet ouvrage est composé de fibres naturelles, renouvelables, recyclables et fabriquées à partir de bois provenant de forêts plantées et cultivées durablement pour la fabrication du papier.

© 1992, Fleuve Noir, département d'Univers Poche.

ISBN 978-2-265-08814-6
ISSN 0768-1658

*A Robert Debœuf
dont l'amitié m'est indispensable.*

SAN-A

Regarde intensément une femme et tu finiras par voir se refléter ta bite dans ses yeux.

SAN-ANTONIO

J'sus inquiet. D'puis quéque temps, plus je mange, moins j'ai d'appétit !

BÉRURIER

CHAT CLOWN 1

Il s'appelait Bokono Al Esbrouf et il était commis en librairie dans une fameuse maison du Quartier latin. C'était un assez beau gosse, d'origine maghrébine, fier de sa chevelure afro, de l'anneau qu'il portait à l'oreille gauche et du tatouage ornant son bras droit. Ce dernier n'était pas figuratif. En réalité, il s'agissait d'un court texte écrit en arabe moderne, dont la traduction était : « Je les encule tous ». Cette catégorique profession de foi passait inaperçue de ceux qu'elle concernait et amusait beaucoup ceux qu'elle ne visait pas.

Bokono, nonobstant cet avis qui pouvait le faire passer pour sodomite, ne faisait pas sienne la devise que des esprits racistes attribuaient à la plupart des Maghrébins : « La chèvre par plaisir, l'homme par hygiène, la femme par devoir. » Il n'aimait que les filles blondes (de préférence), et, garçon bien tourné, doté d'un regard chargé de toutes les promesses, il se montrait hautement performant dans l'art de convaincre les filles de se mettre à l'horizontale.

Ce soir-là, son travail terminé, après avoir remisé la 2 CV fourgonnette servant aux livraisons, il se lava les mains, fit bouffer sa tignasse électrique et troqua sa blouse grise contre un blouson Lacoste vert qui seyait à son teint bistre.

Il avait rendez-vous, dans un café de Saint-Michel avec une donzelle shampouineuse, conne et inculte, mais dont il aimait la fougue amoureuse qui lui rappelait les fantasias de son Algérie natale. Elle poussait, dans les périodes intenses de leurs étreintes, de tels cris qu'il redoutait chaque fois de voir débarquer la police.

Elle se prénommait Martine, comme beaucoup de shampouineuses, était petite, bien foutue, rieuse, avec des taches de rousseur sur ses pommettes et une sorte de minuscule palmier dressé sur le dessus de sa tête.

Depuis plus de huit jours, ils se retrouvaient, leur journée de boulot achevée, et grimpaient jusqu'à une soupente de la rue de la Huchette, prêtée par un beur ami de Bokono, lequel travaillait au *Dupont Latin* comme plongeur à l'heure de pointe des nouveaux amants. Le commis pensait, comme le Tigre, que le meilleur moment de l'amour c'est quand on grimpe l'escalier, et il escaladait voluptueusement les marches branlantes du vétuste immeuble, le nez dans le cul de sa conquête, supputant les péripéties de la tringlée qu'il allait lui mettre, une fois parvenus à destination.

Parfois, il risquait la main sous la jupe de Martine, quand il lui arrivait d'en mettre une, alors elle protestait gaiement parce que cette privauté la faisait trébucher.

Le lieu de leur étreinte manquait de confort. On l'avait aménagé dans le grenier en cloisonnant la partie la mieux éclairée de celui-ci. Le « studio » (le terme figurait sur le contrat de location) n'était meublé que d'un lit bas, d'un placard, d'une table et de deux chaises. Le locataire devait aller puiser l'eau à l'étage au-dessous et libérer sa vessie et ses intestins un demi-étage encore plus bas, des chiottes ayant été astucieuse-ment aménagées dans le tournant de l'escalier. Certes, ce nid d'amour ne valait pas le *Plaza*, mais deux jeunes êtres aux sens exacerbés savent se contenter de moins. Un tapis élimé escaladait l'escalier sur trois étages. Il cessait ensuite et les marches de bois creusées par deux siècles d'usage devenaient bruyantes.

Après le cinquième, il fallait pousser la porte conduisant aux combles et gravir une espèce d'échelle de meunier pour atteindre le pigeonnier du couple. Les amoureux devaient parcourir quelques mètres en tâtonnant, car on n'y voyait goutte, avant d'atteindre la porte du logement. Martine s'effaçait alors pour se laisser guider par Al Esbrouf. Coquetterie féminine. Ces garces savent que le mâle est fier de protéger et ne perdent jamais une occasion de lui accorder cette sotte satisfaction.

Bokono ouvrit la porte. La nuit était déjà posée sur l'immeuble mais la réverbération des lumières du quartier éclairait la pièce par le vélux aménagé dans la toiture.

Comme la shampouineuse prisait la pénombre, elle pria Bokono de ne pas actionner l'électricité. Ils se déshabillèrent fébrilement, face à face, comme si c'eût été la première fois qu'ils se préparaient à l'étreinte. L'impatience les faisait trembler. Ils laissaient choir leurs fringues sur le méchant plancher et ce froissement d'étoffe ajoutait à leur excitation.

Lorsqu'ils furent entièrement nus, Bokono avait la queue raide comme un perchoir de perroquet. Ce que voyant, sa compagne se plaqua contre lui, une jambe relevée, pour faire bon usage de cet état de grâce. Ses contorsions expertes obtinrent le résultat escompté. Elle prit (de guingois, mais totalement) le solide membre de son amant dans sa chatte de shampouineuse. Il la porta jusqu'au lit et ils s'y abattirent sans déjanter, pleins d'une étrange fureur d'amour, hurlant des invectives, des suppliques, des ordres, des onomatopées plus éloquentes que du Lacordaire.

Le sommier harassé fit entendre son triste chant. C'était un vieux sommier de pauvre, certes, mais de bandeurs, qui avait guerroyé sous bien des culs. Il avait ses creux et ses protubérances, ses pentes accélérées et ses moutonnements douloureux aux dos de labeur, mais il continuait d'assurer vaille que vaille son office et ses habitués finissaient par être encouragés par ses grincements, comme des rameurs par les cris du barreur.

Comme Al Esbrouf commençait sa fantasia, sa compagne fit un prompt retour à la réalité pour murmurer :

— T'as entendu ?

— Quoi ? haleta le mâle, indifférent à ce qui n'était pas la baise.

— Du bruit dans le grenier.

— Tu parles, il est plein de rats !

Et, désinvolte, il enclencha le turbo. Bientôt, les plaintes de la fille, celles du sommier et les halètements de Bokono se confondirent pour dégénérer en un vacarme d'amour qui aurait eu sa place dans un film X.

Martine exécutait un admirable « V » avec ses jambes dressées, tandis que son copain semblait vouloir la clouer au lit à coups de reins prodigieux.

Ils n'entendirent pas s'ouvrir la porte de l'humble logement, non plus que les pas feutrés des trois hommes qui s'avancèrent jusqu'au plumard. Les intrus étaient fringués en loubards et portaient chacun une cagoule taillée dans de la feutrine noire, et tous tenaient un couteau à la lame longue et étroite.

— Y s'régale, le melon ! claironna soudain l'un des trois voyous.

Les amants cessèrent de fonctionner et regardèrent les arrivants. Martine se mit à hurler de terreur. L'un des trois types mit un genou sur le lit et appuya la pointe de son couteau sur la gorge de la shampouineuse.

— Ta gueule, pouffiasse, ou je te saigne !

Elle s'efforça au silence, mais ses nerfs l'emportaient et elle émit des gémissements de chiot. Elle claquait des dents comme sous l'effet d'une forte poussée de fièvre.

— Il a déculé ! annonça le plus petit des cagoulards ; mais pas débandé !

— Ben alors faut qu'il la chausse encore ! Allez, le tronc : puisque tu aimes ça, regrimpe cette pute ! Bokono ne réagit pas.

— Enfile-la, je te dis !

Al Esbrouf, mort de peur, balbutia :

— Mais qu'est-ce que vous me voulez ?

— On veut que t'emplâtres ton boudin, c'est pas dif ! Tu le faisais de bon cœur il y a un instant.

— Mais je peux pas, devant le monde.

— Tu peux, puisque t'as encore un superbe tricotin ! Allez, grimpe-la, je te dis ! Attends, je vais te guider !

Il passa la main entre les jambes du Maghrébin, saisit son sexe et le dirigea vers celui de la fille.

— Pousse, mec ! Rends-toi utile !

Il appuya sur les fesses du malheureux.

— C'est en place ? demanda-t-il à la cantonade.

L'un de ses compagnons actionna une lampe électrique et regarda sous le ventre d'Al Esbrouf.

— Paré pour la manœuvre, capitaine !

— Banco !

L'homme s'assit à califourchon sur le fessier de Bokono, le dos tourné à sa personne. Il fit un signe aux deux autres qui, sans hésiter, s'emparèrent chacun d'une jambe de l'Arabe et se mirent à tirer dessus comme s'ils entendaient l'écarteler.

— Il a un sacré paquet de couilles, ce con ! fit l'homme à califourchon en se saisissant à pleines mains des attributs de sa victime.

Ensuite, d'un geste assuré, il avança son couteau suraiguisé entre les jambes d'Al Esbrouf et en quelques mouvements péremptoires, trancha son sexe. Le malheureux poussa un hurlement animal et se mit à vomir sur le visage de Martine. Il eut de tels soubresauts que les deux loubards qui maintenaient ses jambes durent les lâcher.

Mais ils se jetèrent de nouveau sur Bokono pour l'immobiliser au-dessus de sa partenaire. Celui qui s'occupait de la partie chirurgicale de « l'opération » gronda. Il décrivit une volte pour adopter la position contraire. Cette fois, c'est la tignasse afro qu'il empoigna. Il tira la tête de sa victime à lui. Al Esbrouf vomissait toujours.

— Il est dégueulasse, ce raton de merde ! fit l'un des agresseurs.

« L'exécuteur » avança son couteau ruisselant de sang sous le menton de Bokono et lui trancha la gorge. Un flot de sang jaillit, qui s'écoula sur le visage et la poitrine de la fille. Morte d'épouvante, elle émettait des sons sans suite qui, parfois, ressemblaient à des rires contenus.

— Tu tais ta gueule ! lui enjoignit le meurtrier.

L'Arabe se vidait rapidement et perdit connaissance. Néanmoins son tortionnaire continua de maintenir sa tête en arrière jusqu'à ce qu'il fût tout à fait mort. Alors, il délaissa le cadavre et examina ses mains. La droite était gluante de sang jusqu'au poignet.

— J'espère qu'il y a de la flotte dans ce gourbi ? s'inquiéta-t-il.

Il trouva le broc à eau et s'aspergea longuement avant d'utiliser le vilain savon crémeux. Pendant qu'il se nettoyait, ses compagnons ligotaient Martine après le lit. Ils avaient apporté ce qu'il leur fallait. Ils la bâillonnèrent à l'aide de bandes de sparadrap, ensuite ils utilisèrent encore la toile adhésive pour maintenir « en place » le sexe sectionné de son amant. Ils agissaient en sifflotant, parfaitement détendus.

Le meurtrier revint au lit, curant ses ongles avec la pointe de son couteau. Il prit la chaise qui se trouvait à sa portée, s'assit et se pencha sur la jeune fille inondée du sang de Bokono.

— Tu sais pourquoi on va pas te bousiller, radasse ? Pour que tu puisses témoigner. Faudra bien tout leur raconter aux flics, surtout ! T'oublieras rien, t'es sûre ? Si tu en oublies, on te retrouvera plus tard, on t'enfoncera une cartouche de dynamite dans le con et on te fera exploser. D'accord ?

Comme elle ne bronchait pas, il lui piqua le sein de son couteau.

— Fais signe que t'es d'accord, vérolée !

Martine eut un acquiescement.

— Tu vas leur dire qu'un mouvement s'est constitué.

On l'appelle *France Propre*. *France Propre*, c'est facile à mémoriser, non ?

Elle répéta son approbation.

— Parfait. Pour commencer notre croisade, on interdit à tous les bougnes, bicots et autres rastas de toucher à nos gonzesses, tu piges ? La grande hécatombe va commencer. Désormais, chaque melon qui lonche une Française aura le zob et la gorge tranchés, comme pour ton pote ! Bien sûr, on pourra pas tout épurer, mais on fera le plus gros, dis-leur bien ! Et quand ces salopards auront compris, ils seront moins empressés à baiser les sacs à merde de ton espèce. Ah ! précise aussi que la partenaire aura droit à sa cartouche de dynamite en guise de tampax. Je te le répète : toi tu as provisoirement la vie sauve, Ninette, uniquement parce que t'as ton compliment à réciter.

— On pourrait au moins lui couper le bout des seins avant de partir, objecta l'un des loubards ; elle en mourrait pas !

— C'est vrai, admit le chef du commando, mais il faudrait déplacer la carcasse du melon et le tableau est trop beau comme ça.

Il contempla « son œuvre » avec une certaine complaisance.

— Harmonieux ! ajouta-t-il. Les poulets vont prendre un pied géant.

Il rit sous sa cagoule étouffante qu'il avait hâte de poser.

— Allez, on se casse l'un après l'autre, compagnons. Je m'en irai le dernier. N'oubliez pas de quitter votre cagoule avant de descendre l'escadrin. Mettez vos lunettes et votre casquette. Pas de précipitation !

Il adressa un geste à l'un des deux autres. Ce dernier jeta un ultime regard au couple avant de sortir.

— Sans bavures ! approuva son camarade.

— Comme toujours, quand on prépare bien son affaire. L'improvisation n'est qu'une issue de secours en cas d'incendie.

CHAT CLOWN 2

C'est Ross, son valet de chambre-chauffeur britannique qui nous ouvre. L'air plus con et compassé que jamais. La glotte proéminente à l'excès. Tu dirais qu'il a avalé un balancier d'horloge et ça le fait ressembler à une pendule arrêtée. Pantalon noir, veste blanche. Au revers de sa veste d'uniforme, infiniment discret : le ruban de la Victory Cross. Ses cheveux rares sont collés sur le sommet de son crâne plat. Nez interminable et plongeant, lèvres minces, regard de batracien assoupi.

Certes, il nous connaît depuis des lustres, mais se comporte comme si nous étions trois marchands d'aspirateurs venus lui faire l'article.

— Oui, messieurs ?

L'équivalent de « *Yes, sir* ». La voix est étale, sourde, sans la moindre marque de sympathie.

— Nous sommes attendus ! lui révélé-je.

— Monsieur a ses soins.

— Nous attendrons.

Il s'efface pour nous laisser pénétrer en l'hôtel particulier du Dabuche. D'un classissisme bourgeois à faire caca sur les tapis. Partout ce n'est que tapisseries d'Aubusson, meubles Louis XV acajouteux avec des dorures de bronze, tableaux d'une grande hardiesse : Ingres, Watteau, Fragonard, accumoncellement de chiraz superposés comme des tranches napolitaines. Des lanternes de cuivre et verre, rondes, dans le hall. Des torchères que ça représente des nègres enturbannés, des vitrines gorgées d'objets papouilles : tabatières, sulfures, cachets, flacons de sels et autres conneries pour collectionneurs. Maître Rheims se pointerait, il dresserait illico l'inventaire.

Le larbin (qui est un fin gourmé), nous grimpe à l'étage, pousse la lourde d'une pièce de modestes dimensions : le salon particulier d'Achille. Un faux feu de fausses bûches brille dans une cheminée de vrai marbre blanc.

— Vous allez devoir patienter un bon moment, prévient l'Anglais, les soins de Monsieur viennent tout juste de débuter.

D'un geste stoïque, je lui fais comprendre que notre attente étant réglée par la République française, nous consentons à ce qu'elle soit illimitée.

— Tu crois qu'il est sérieusement malade ? chuchote M. Blanc.

— Le bruit en court, haussé-je-t-il les épaules.

Bérurier émet un bâillement qui nous découvre le fond plus que douteux de son slip.

— Faites-vous pas de souci pour c'vieux croquant, dit-il après son étrange barrissement, y nous enterrera tous !

Ça fait tout de même un mois qu'il n'a pas reparu à la Grande Crèche, le Dabuche. Maladie virale, prétend-thon. Tu sais les gens, le combien ils charognassent ?

D'ici qu'on chuchote au chou-fleur, y a qu'un pas et trois phrases ! A la ménagerie Bidel, on le voit déjà avec le crabe, Pépère. Des augures perfides annoncent qu'il ne refera plus surface. La crèmerie retient son souffle. Chaque morninge on s'interroge du regard : « Alors ? Du nouveau pour le Tondu ? » Des moues, des regards torves. La conspiration est commencée. On pense que le roi va crever, on cherche qui sera son successeur. Supputation. Je suppute (j' suis pute). Qui va être le prochain monarque, qu'on l'acclame par avance, cré bon gu ! Qu'on lui fasse d'ores et déjà feuille de rose, histoire de se mettre dans ses bonnes grâces, dans son bon cul !

Nous percevons un bruit de paroles continu. Litanies ? Lithinés ? Ça ressemble à des oraisons, des patenôtres. C'est marmonné, mais avec, de-çà, de-là, comme des exhortations. Et puis, on croit déceler le mode interrogatif dans cette bouillie de syllabes.

— On y récite la messe, à Pépère, ou j' me goure ? perplexite Béru.

Nature curieuse, il va à une deuxième lourde mou-lurée et colle son œil au trou de serrure. Dès lors, il ne cesse de se claquer les cuisses.

Quand, au bout d'un moment, il se redresse, il est en intense jubilation.

— On croive rêver ! assure l'Enflure normande. Ça dépasse l'imaginance. Grouillez-vous d'prendre un jeton, les mecs, j'ai peur qu'en aura pas pour tout l'monde.

Mon œil droit supplée le sien. Ce que je découvre peut passer pour inimaginable, et pourtant il faut croire ce que je vais te narrer. Si tu n'y crois pas, je ne te raconte rien, de ce fait cela constitue une situation bloquée. Mais je suis un homme qui fait confiance à son prochain (sans avoir toutefois confiance en lui). Alors voilà.

M'agine-toi qu'on a débarrassé la chambre de Chilou de son mobilier et qu'on a dressé, au centre de la pièce, une vaste cage de verre hermétique et étanche de trois mètres sur trois environ. Dans cette cage, munie d'un filtre à air, se tient Chilou, superbe dans une chemise de nuit d'hôpital. Il y dispose d'un lit de camp, d'un bureau et d'une chaise, ainsi que d'un appareillage sanitaire pour les chiottes et la toilette. Dans l'une des parois, des avant-bras avec mains en caoutchouc souple lui permettent de congratuler ses éventuels visiteurs. Plus bas que ceux-ci, est aménagé un conduit, également en jus d'hévéa, adoptant la forme d'un préservatif.

Et c'est bien de ce genre d'ustensile qu'il s'agit puisque, précisément, le Dirlo a engagé son sexe dans cette gaine et qu'une dame agenouillée contre la paroi de plexiglas le lui pompe avec un bel entrain. Achille a le front appuyé contre la cloison et regarde s'escrimer la personne : une blonde pulpeuse sobrement vêtue d'un porte-jarretelles noir.

Assise près de cette jeune fille de la bonne société, une dame d'un grand maintien et qui frise la cinquantaine, débite les litanies annoncées plus haut. Je donne priorité à l'ouïe et remplace au trou de la serrure mon mil par mon oreille. Le discours de la quinquagénaire n'est guère en harmonie avec sa mise. Non plus qu'avec la réalité du moment. C'est d'ailleurs pour tenter d'améliorer celle-ci que la personne s'emploie avec un verbe que lui envierait ce surdoué de l'éloquence qu'est maître Lombard.

— Tu as une bite d'enfer, Chichi, gros dégueulasse !

L'humble panais du Vieux est aussi consistant qu'une ligne de coke sur un comptoir. Si la gaine de caoutchouc ne le soutenait pas, il ne pendrait pas, il coulerait ! Mais la dame, en vraie pro, poursuit :

— Avec un tel zob de taureau, tu dois les faire mouiller, toutes ces salopes, mon cochon ! T'as la queue du siècle, Chichi. C'est pas possible, un homme membré à ce point ! Y a qu'un crocodile qui peut te sucer complètement, grand ramoneur de fesses ! Tu triques monumental ! Stéphanie va se décrocher la mâchoire à t'éponger, vilain ! Non mais visez-moi ce mandrin ! Ah ! ce que je voudrais le prendre dans la moniche ! Tu me ferais hurler de jouissance, Chichi ! Tu te souviens comme c'était bon, nous deux ? La grande Gisèle te suractivait au gode pendant que tu m'astiquais. Et attention : pas le gode pour jeune fille lymphatique, mais le vrai : celui de maman. La petite Chinoise, elle, te massait les roustons. Les tiens sont durs comme des châtaignes. Moi qui suis native de l'Ardèche, je peux te le certifier.

Elle s'interrompt pour venir au ras de la vitre juger de l'effet de son discours, mais la belle Stéphanie qui comprend sa curiosité professionnelle lui fait non du doigt. J'ai idée que la croisière du Vioque ce sera pour une autre fois. Et pourtant, elle est grande technicienne, cette chère femme. Une maîtresse pute !

— Mademoiselle Stéphanie, intervient-elle, laissez-moi votre place que j'essaye de m'expliquer. Pendant ce temps, vous montrerez votre chatte à M. Achille. Par-derrière, le porte-jarretelles en est plus efficace. Vos hémorroïdes sont guéries m'avez-vous dit ? Fort bien. Si vous vous faisiez un petit solo à deux doigts pour

accompagner, je suis sûre que M. Achille apprécierait.
C'est une nature contemplative, M. Achille. Vingt-cinq
ans que je le pratique, alors vous pensez !

Courageusement, la vaillante s'agenouille, essuie
d'un fin mouchoir la salive de son auxiliaire, et se
met au boulot. N'étant pas égoïste, je cède ma place
à Jérémie Blanc. Béru l'a mis au courant de ce qui se
passe, aussi ne marque-t-il aucune surprise en voyant
les démêlés d'Achille avec son sexe.

— On s'd'mande qu'est-ce qu'il s'imagine, Pépère,
av'c une limace en guise d' chibre ! grommelle
Alexandre-Benoît.

— Il n'accepte pas de renoncer, souligné-je. Dans le
fond, c'est beau.

— C'est beau de se faire mâchouiller l' gnocchi, tu
trouves ? Qu'est-ce y pourrerait en sortir ? Un duvet
d'canard ! ricane le Gros.

M. Blanc se tourne vers nous.

— J'étais loin d'imaginer ça du Dirlo ! annonce-t-il.

— Qu'est-ce tu croiliais, Mâchuré ? Qu'il avait un
pic pneumatique dans son bénoche ?

Blanc brandit son pouce fortement spatulé.

— C'est beau à son âge ! dit-il.

— Qu'est-ce qu'est beau ? s'intrigue Bérurier en
l'écartant pour mater à sa place.

Et le Gravos de siffler.

— Putain, Antoine ! Mords un peu c'mirac' ! Mais
c'est Bernadette Soubiroute, cette médème ! Où qu'elle
a été lui r'pêcher un tricotin d'ce calib', à Chilou ! Y va
jamais pouvoir r'tirer sa tronche d' nœud d' l'hublot
si y n'dégode pas après s'êt' défargué d'sa purée, l'
pauv' chéri ! Il est comm' Saint Lazare : y r'naît de ses
cendres !

Je contrôle et, effectivement, j'ai la preuve des qualités aphrodisiaques de la dame. Le pénis directorial est devenu imposant.

Satisfaite, l'excellente femme désembouche le module et le montre à sa petite pensionnaire.

— Stéphanie, dit-elle, regardez un peu ce que c'est que de tailler une VRAIE pipe ! Je ne veux pas faire de triomphalisme, mon enfant, mais seulement vous prouver qu'il ne suffit pas d'être jeune et agréable pour obtenir d'un monsieur entre deux âges une bandaison de cet aloi ! Il est inutile de souffler dessus, ma chérie, et même de le suçoter comme un sucre d'orge. Ce qu'il faut, c'est le mordiller en lui imprimant ce bon vieux mouvement de va-et-vient qui constitue le moteur de l'amour. Voyez à quel point M. Achille s'est épanoui. Et c'est pas de la barbe à papa !

Elle prend le paf et le fait sonner contre la paroi.

— On peut le lâcher, il tient tout seul. Maintenant, vous allez me le finir, Stéphanie.

— Non ! non, fait la voix d'Achille, métallisée par le système de phonie. Je veux continuer de voir son admirable chatte ! C'est cela qui m'a mis en érection, beaucoup plus que vos manigances pauvrettes, madame Duguy-Lanhneuf.

La Madame chef pétasse enrage, mais la volonté du client est souveraine. Elle place une mimique sceptique et, le regard levé en commisération, enjoint à sa comparse de continuer à se donner en spectacle.

La môme Stéphanie retrouve donc sa posture lubrique et tout va l'amble, que veux-tu que je te dise ! Mister Dirluche, sollicité visuellement et buccalement, s'élance de ses starting-blocks et bat le record du monde d'éjaculation en vase clos, catégorie troisième âge.

— Bravo ! exulte Mme Duguy-Lanhneuf. Vous pouvez vous rhabiller, Stéphanie.

Une fois ces personnes évacuées, Ross nous introduit auprès de Dieu le Père. Un Dieu apaisé et donc miséricordieux.

Dans sa cage, il a l'air d'un vieux sage ayant renoncé aux grimaces. Sa maigre offrande est indistincte dans la gaine à paf caoutchoutée. Un duvet de canard, avait pronostiqué Béru ? Presque !

— Ah ! vous voilà, mes valeureux ! cohennise-t-il. Je commençais à me languir de vous dans cette vitrine où je me fais l'effet d'un spécimen d'homo sapiens rarissime. Figurez-vous que je souffre d'une nucléoviro-tartisse évolutive qui me rend vulnérable au moindre microbe de passage. Mais mes dernières analyses sont bonnes et j'espère pouvoir réintégrer bientôt mon bureau. D'excellentes infirmières s'occupent de ma santé et, malgré cette claustration, je veille à conserver ma forme physique. A mon âge, on se détériore rapidement si l'on n'y prend garde.

Il nous montre un appareil téléphonique immaculé sur son bureau de verre.

— J'ai eu, tôt ce matin, une conversation choc avec devinez qui ? Le président soi-même. Un lève-tôt, cet homme. Paré pour son troisième mandat ! Il est terriblement contrarié par cette série de meurtres racistes qui déshonorent notre belle France (ces mots sont de lui). Il m'enjoint…

— De culasse ! laisse tomber le Gravos.

— Que dites-vous, Bérurier ?

— Vous disez « enjoint », j'ajoute « de culasse ».

Il rit fort pour souligner l'extrême drôlerie de la boutade.

Le Vieux rapproche le micro de sa bouche.

— Ne deviendrait-il pas de plus en plus sinistrement con, San-Antonio ?

— Je ne le pense pas, monsieur le directeur. Il y a belle lurette que le conomètre est saturé quand Alexandre-Benoît s'escrime.

Le Dabe se gratte les fesses de sa main qui tient le micro. L'opération lui provoque un vent incontrôlable, lequel, amplifié par l'appareil, ressemble à l'impact d'une fusée mer-mer dans la coque d'un sous-marin.

Sa Majesté hilarise :

— Alors là, j'm'avouille vingt cul, Monseigneur ! Notez qu'si vous m'prêtereriez vot' micro, j' pourrerais vous archiprêter « Hiroshima mon amour » !

Gêné, Achille passe outre. Il cramponne un feuillet sur son bureau.

— Un vent de panique souffle dans la communauté des travailleurs immigrés, dit-il. Et il y a de quoi ! En quinze jours, on a enregistré trois assassinats de Maghrébins, quatre de Noirs, huit disparitions d'Africains divers et six filles molestées pour avoir couché avec des Arabes ou des nègres.

Il regarde l'heure.

— Mes remèdes ! fait-il.

Il va tripatouiller des fioles, se compte des gouttes et des cachets, des gélules et des suppositoires. Avale les uns, s'encule les autres. Il est pâlot et fébrile, le Tondu. J'espère que sa maladie n'est pas mortelle. Ça me gonflerait de me retrouver dans la cour de la Grande Taule, devant son catafalque, à écouter les bavocheries d'un ministre à propos de la carrière édifiante de Chilou

(Chichi, comme l'ont baptisé les putes qui veillent sur ses glandes inférieures).

Lorsqu'il a procédé à l'opération survie, il revient à nos moutons.

— Savez-vous ce que le président m'a demandé, messieurs ? De sa propre voix ? Il m'a dit : « Mon cher, pourquoi ne confieriez-vous point la direction de l'enquête au commissaire San-Antonio ? Ce garçon me plaît par son intelligence et sa détermination. De plus, je sais qu'il dispose d'une poignée d'inspecteurs peu banals et d'une grande efficacité. Qu'il établisse un P.C. de crise, qu'il prenne sous ses ordres tous les effectifs spécialisés dont il aura besoin : commandos de choc, tireurs d'élite, brigade spéciale, que sais-je ! Et qu'il livre à cette racaille une guerre sans merci ! Dites-lui que je souhaite une action immédiate et sans limites ; je le couvre ! Vous comprenez bien ce que j'énonce, cher directeur ? JE LE COUVRE ! »

Le Vieux a les yeux embrumés par l'admiration que me vaut la décision présidentielle.

— La France compte sur vous, Antoine, mon bambin. J'ai fait rassembler tous les éléments du dossier, Ross va vous les remettre. En mon absence, vous vous installerez dans mon bureau. Ne protestez pas, San-Antonio : je l'exige !

CHAT CLOWN 3

Son burlingue, Chilou, je m'y sens aussi à l'aise qu'un saumon dans un tonneau de sciure. C'est pas mon style, ce genre de pompe. Et je déteste le parfum qui flotte dans l'air à la ronde ; le sien d'abord : « Cuir de Russie », plus celui de toutes les pétasses de luxe venues céans lui saccager la prostate.

J'y passe néanmoins une grande heure, téléphone décroché, à prendre connaissance du dossier. Quand je referme le porte-documents de toile noire, mon siège est fait. Il s'agit bel et mal d'une organisation de fachos en délire, guerriers en peau de zob et de carnaval libérant leurs fantasmes derrière une crapuleuse idéologie.

Mon confrère, le commissaire Chenu qui, jusque-là, menait l'enquête (il va m'adorer en apprenant que c'est Bibi le grand chef indien désormais !) a fait serrer plusieurs groupuscules d'illuminés fichés, mais ça n'a pas donné grand-chose. Ces têtes-de-nœuds, nonobstant leurs crânes rasibus, leurs fringues de cuir noir et les croix gammées ornant (si l'on peut parler d'ornement) leurs manches, sont davantage des braillards de meetings que des hommes de main véritables. Ils simulacrent pour prendre leur pied. Ce sont les branlés du néo-nazisme.

Ayant survolé le problème, je décide d'attaquer par le commencement, à savoir l'assassinat après mutilation d'un jeune Maghrébin du nom de Bokono Al Esbrouf, tué dans un infâme studio alors qu'il besognait une shampouineuse métropolitaine. C'est cette fille qui a été chargée par les assassins d'annoncer au monde la divine naissance de « l'association France Propre » ! Quinze jours que le meurtre a eu lieu. La partenaire du défunt, une certaine Martine Vénérien, fortement traumatisée par cet assassinat perpétré sur son ventre, a dû passer plusieurs jours à l'hôpital. Interrogée, elle n'a pas appris grand-chose aux enquêteurs. Tout ce qu'elle a dit et répété, c'est le message dont les agresseurs l'ont chargée.

Ça va être elle, mon fil d'Ariane.

Je me pointe à son domicile (un petit pavillon de Chennevières) flanqué de Béru. Je pense que nous composons un tandem de flics efficaces, le Mastar et moi. Je joue le beau gosse intelligent, lui le gros sac à merde borné. Très complémentaires.

C'est la maman qui vient déponner. Tu dirais plutôt la grande sœur de la shampouineuse. Une boulotte de quarante carats, teinte en blond extrême, le regard angélique d'un bleu délavé. Elle porte un corsage imprimé bien rempli, une jupe trop remplie (le crochet de la taille a foiré) et des pantoufles de vair comme dans les contes de Perrault. Elle a les mains et les avant-bras chaussés de caoutchouc car elle était en train d'utiliser Vizir.

Je lui vote un sourire princier, comme y a plus qu'à

Monaco que tu peux en trouver quand *Paris-Match* est en maraude.

Ma brèmouze.

— Encore ! rembrunit la blonde (mais je te parie qu'elle est brune plein sa culotte).

— Je sais, tais-je, une enquête a ses nécessités, madame Vénérien, auxquelles tout citoyen doit se soumettre.

Bérurier intervient :

— Pour nous z'aut', c't'un bonheur d' tomber sur une personne pareillement roulée, déclare-t-il à l'emporte-pièce.

Un peu estomaquée, la dadame, de voir un drauper la charger cosaque but en blanc. Ceux qui nous ont précédés ici avaient des manières moins exquises et plus professionnelles. Ils faisaient pas dans la dentelle, eux, à l'instar de Béru Ier.

Je demande la permission de causer avec sa fifille. Elle me répond qu'elle est claquemurée dans sa chambre, au premier : la porte de gauche. Nous explique que son mental a gravement morflé, la gosse ! Dis, quand on te saigne à mort un julot sur le ventre et qu'on laisse la tige de sa sucette dans ta chagatte, y a de quoi te faire paumer les pédales ! Elle parle de se faire religieuse, la Martine, pour toucher le tiercé dans les ordres. Elle veut se vouer à l'Immaculée Conception, histoire de se retricoter une virginité.

— Si c'est comme ça, murmure Béru, c'serait p't'être meilleur qu'tu la voyes tout seul, pas l'échauffourer[1].

Le madré bonhomme ! Tu parles comme je le vois

---

1. Il est probable que Bérurier a voulu dire « effaroucher ».
Note de la Direction des Chemins de Fer.

venir avec ses gros sabots normands. Il a fait tilt pour la dame Vénérien, le bougre, et espère la chambrer pendant que j'interrogerai sa fille.

Mais à quoi bon lui mettre des bâtons dans les roupettes ? Je m'engage seul dans l'escadrin.

Martine, je l'ai pas connue à l'époque de ses shampouineries mais je suppose qu'elle devait se trimbaler une meilleure frime. Elle est hagarde, blême, avec des yeux écarquillés par une épouvante irréversible. D'emblée je pige qu'elle devrait se trouver dans une clinique, la pauvrette, au lieu de croupir dans la pénombre de sa chambrette concon, pleine d'animaux en peluche, de castagnettes espingotes et de disques compacts.

Elle est en survêtement Adidas, assise sur son lit, dos au montant, tenant sur ses genoux un vieil album de Tintin qui raconte les exploits de la « Castafiore ». Mais elle ne le lit pas : à preuve, le livre est à l'envers. Sa posture autant que son expression me paniquent. Ils sont glandus, ses vieux, de pas piger qu'elle y va du cigare, leur grande fille ! Qu'elle a déjà dépassé la cote d'alerte. Merde, y a urgence ! Comment veux-tu que je questionne un être pareillement sonné ?

Je m'avance néanmoins jusqu'au lit.

— Bonjour, Martine.

Elle me visionne à peine, comme si j'étais un calandos plâtreux. Se recroqueville d'instinct. Décidément elle est trop *out*, y a pas mèche de lui parler.

— N'aie pas peur, ma petite fille, lui rémouladé-je, je suis un ami.

J'avance la main jusqu'à sa cheville. Alors elle se met à hoqueter, proche de la crise de nerfs.

— Me tuez pas! elle supplie. Me tuez pas! Tuez encore Boko, mais ne tuez pas, moi!

En s'agitant, elle actionne la poire électrique placée à la tête de son lit et la lumière s'éteint. Comme ses volets sont clos, nous voici dans l'obscurité. Elle pousse un cri et se jette contre moi, cherchant protection auprès de celui qui provoque sa panique, ce qui est étrange.

Je la sens qui tremble. La presse. Mieux, j'écarte les pans de mon veston pour qu'elle puisse se blottir plus complètement. Lui caresse la nuque, lui baisote les cheveux. Chantonne une comptine. La berce. Dodo, l'enfant do! Grand con! C'est empêtré un homme, dans ces cas-là. Kif un papa de fraîche date tentant de calmer son nouveau-né plein de merde pendant que maman est chez le coiffeur[1].

La pauvre fifille se calme doucement. Après quelques reniflades qui doivent m'escargoter la limace (si je puis dire), elle chuchote :

— Ils sont partis ?

Et ma pomme, illico en prise directe :

— Oui, mon bijou.

— Tous les trois ?

— Tous les trois.

— Même celui qui a une araignée sur la main ?

Je marque un léger temps de surprise. Qu'entend-elle par là, Martine ?

— Même lui, confirmé-je.

— C'est certain ?

— Parole d'homme. Tu n'as plus rien à craindre.

---

1. On peut dire d'une femme qu'elle va « au » coiffeur, seulement lorsque ce dernier la baise.

San-A.

Elle bredouille :

— Son couteau est plein de sang, il l'a emporté quand même ?

— Oui, oui, sois tranquille, ma petite Martine.

— Vous croyez que Boko est mort ?

— Mais non : on le soigne à l'hôpital.

— Mais on lui a coupé la queue !

— On lui en a greffé une autre, encore plus grosse !

Elle ne moufte plus. Sa respiration se régularise et je m'aperçois qu'elle dort contre ma poitrine. Un instant de détente, enfin, pour cette pauvre fille si terriblement éprouvée.

Je n'ose broncher. On est là, dans le noir, comme deux êtres perdus au fond du monde.

Je pense : « une araignée sur la main ». Elle veut parler d'un tatouage, probablement. Si c'est le cas, l'indication est précieuse. Pourquoi ne l'a-t-elle pas mentionnée aux collègues qui ont recueilli sa déposition ? Elle était trop choquée pour restituer ce détail ? D'ailleurs il est venu au cœur de son angoisse délirante.

J'attends encore un peu avant de l'allonger sur son plumard. Elle geint pendant l'opération, sans toutefois se réveiller. Je sors de la chambre sur la pointe des pieds. Depuis le premier étage, j'étends les échos d'une conversation animée.

— Mais écoutez, monsieur le commissaire, comment voulez-vous m'introduire une queue pareille ? C'est inimaginable ! Mon mari est monté comme un caniche et je ne l'ai jamais trompé !

Elle n'est pas effarouchée par l'adultère qui se mijote, mais par le calibre de la fusée, la maman. Béru doit lui tapoter les miches car je perçois un aimable clapotis.

Il grommelle :

— Allons, allons, croivez pas des cornettes de ce genre, ma poule. La viande c'est estensible : celle à vot' fouinof comme celle à ma bite. Si vous aureriez un' noisette d'margarine à ma dispose, j'vous prouvererais qu'en trois minutes l'zoziau est dans son nid sans vous faire grincer les miches l'moins du monde !

— Y en a dans l'frigidaire, m'sieur l'commissaire.

Je note au passage cette promotion dont le Gros s'est paré.

Il doit trouver ce qu'il réclame, car il s'écrie :

— Pas commode à tartiner, vot' *butter*, la mère ! Faut qu'j' l'malasque ent' mes doigts manière d' l'assouplir ; kif d'la pâte à modeler. Là, y s'fait ! Maint'nant, regardez : j'm'induis l' Pollux. Jusqu'à c' qu' y d'vient un vrai v'lours. Faut y dorloter la tronche vu qu' quand t'est-ce elle est passée, l'affaire est conclue. C'est toujours la tronche qui fait des magnes. Maint'nant, ma gosse, appuiliez-vous su' l' plan d' travail de vot' cuisine, les guiboles bien écartées. Vous vous penchez fort par-dessus le bastringage comme si vous s'riez en bateau. Rilaxez-vous à mort.

« Ah ! t'y'là déjà, Sana ? Tu m'accordes cinq minutes pour qu'j'aligne c'te pauv' femme qu'est tell'ment tracassée par sa grande fille ? Tu peux rester, ça n'm' dérange pas. Assoive-toi.

« V's'êtes parée pour les manœuv' d'automne, maâme Vénérien ? On y va à la langoureuse, façon Valses de Vienne. Fectiv'ment, vot' tatoué, c'est pas lui qu'a percé l'tunnel sous la Manche av'c sa bite ! Y tringle au moilien d'un compte-gouttes, non ? Son chipolata, c't'un gars d' divorce ! V's'avez épousé un homme, pas un cure-dents ! Vot' grande, au moins, elle aura pas ce genre d'ennuis pisqu'é s'emplâtre des crouilles. Les ratons, ma poule, y sont braqués comme des percherons. »

Tandis qu'il parle et s'active, je vais prendre place sur le plan de travail auquel est accoudée « l'exiguë ». Elle arbore une grimace de suppliciée. Je suis tout contre elle, pas mateur, encore moins viceloque. Tu penses si les empaffades du Gros sont monnaie courante pour moi. Je suis blasé.

— Serrez les dents, conseillé-je, ce n'est qu'un mauvais moment à passer ; ensuite l'avenir vous appartiendra.

— Oh ! j'ai bien compris, admet la chère femme. Courageuse. Pour elle, cet adultère au débotté équivaut à une intervention chirurgicale.

Elle ajoute :

— Je me doutais bien qu'il faudrait y passer un jour ! Mon gynéco me répète tout le temps : « On dirait que vous êtes encore vierge, madame Vénérien. » Quand le commissaire, tout à l'heure, m'a montré son gros zizi, j'ai su que le moment était arrivé. Le destin sonnait à ma porte ! Ahouillle ! Arrêtez ! Non ! Non !

— Calmos, ma toute belle ! murmure Sa Majesté en caressant sa croupe. On marque un' halte. Bougez pas qu' sinon vous allez m'espulser l'guignol. Faut préserve-ver l'terrain acquis, comprenez-vous-t-il ? J'ai idée qu'le plus gros est fait. Si vous pourriez mouiller un brin, on aurait pratiqu'ment gagné l'canard. Voudriez-vous-t-il qu' j'vous fisse les bouts d'seins manière d'émoustiller vot' frigounet ? Ou qu' j'vous raconte des saloperies ?

Moi, afin de la dédolorer, je questionne :

— Chère madame, Martine vous a-t-elle entretenue du drame lorsque vous l'avez revue à l'hôpital ?

— Oui, mais elle « déparlait » déjà beaucoup.

— Que vous en a-t-elle dit ?

— Que l'homme qui dirigeait reviendrait pour la tuer ; elle en est toujours convaincue d'ailleurs… Aïe ! Faites très doucement, monsieur le commissaire ! Se peut-il que des hommes soient montés comme mon époux, et d'autres comme vous ?

— Des de mon calibre, y en a pas chouchouïe ! orgueillise le Mastar. C't'un cas, dans not' famille. M'sieur Félisque excepté, j'croive pas qu'éguesiste mieux su' c'te planète. P't'ête quéqu' bougnes dans la forêt tropicale ; j'ai vu la photo d'un qui f'sait un nœud av'c son nœud. Moi, faire un nœud av'c mon nœud, j'y arriverais à condition d'pas goder, mais c'est tell'ment rarissime !

Sournoisement, il pousse encore son avantage. La maman de Martine s'en rend compte, ne dit mot, surprise agréablement de parvenir à encaisser ce nouveau passager sans défaillir. Le corps humain est résistant, il se prête à bien des combinaisons qui, à première vue, semblent irréalisables. Elle est presque fière d'être un mammifère élastique et courageux.

— Vous a-t-elle fait une description de cet homme qu'elle redoute tellement ? lui demandé-je.

— Oui, elle dit qu'il est grand ; qu'il a une grosse chaîne d'argent au cou qui passait par-dessous sa cagoule et une épaule plus haute que l'autre, sans toutefois être bossu.

— Elle vous a mentionné une araignée tatouée sur la main ?

— Non. Je… Oh ! là ! Oh ! la la ! Avvrrrrouiiii !

Elle tente de soustraire son michier à l'épieu qui s'y est planté, mais les mains puissantes du Gros le maintiennent.

— Tout beau. On y est, ma jolie ! dit-il d'un ton apaisant où perce (si je puis user de ce verbe en cet instant) une fierté de mâle. T'v'là grande fille, maint' nant ! Une dame pour de vrai, qui va pouvoir se faire praliner la case trésor par des messieurs authentiques ! Ton avorton d'mari, quand c'est qu'y va t'niquer, y s'sentirera en perdition comme un espégologue lorsqu'a une montée d'eau dans la grotte ! Va falloir qu'y s'cramponnasse aux parois ! Ça y est, t'as tes aises ? J'peux piquer d'mes deux pour l'galop d'honneur ! Allons-y, Ninette ! La grande fantasia d'vant les tribunes !

Il est superbe dans ses déclenchements, Béru ! Un coup de reins unique au monde ! Une fougue de taureau ! Faut le voir caracoler du paf, l'artiste ! Lâcher les fesses de sa partenaire pour la soulever juste avec son membre, puis lui claquer les meules formidablement avec un mouvement de lavandière frappant son linge mouillé et tordu contre la pierre du lavoir. « Vlaing ! » ça fait. Je mens pas, écoute : « Vlainng ! » T'entends ? Peut-être même : « Vlaiiinnngg ! »

Elle crie encore, Solange (je l'appelle Solange parce qu'elle le mérite). Mais on peut déceler déjà du plaisir dans ses hurlements. Elle en est au point critique où la souffrance se mue en volupté. Elle prendra des bains de siège réparateurs par la suite, certes, s'oindra d'onguents appropriés, mais pour l'instant, elle doit aller au grand fade éblouissant, n'importe les dégâts. Elle n'a pas enduré ce martyre pour juste se faire écarquiller la moniche ! Faut la rentabiliser dare-dare, cette épreuve. Une bite pareille, dis ! Unique dans sa vie morose ! Avoir le privilège de l'encaisser jusqu'à sa garde sans en tirer la volupté inhérente, ce ne serait pas un crime, dans son genre ? Hein, réponds, fleur de nœud ?

Alors elle surmonte le mal pour accueillir le bien. Tout à l'heure elle aura de l'eau chaude et de la vaseline, autant qu'il lui en faudra, pour réparer du gland le réparable outrage, mais cette queue unique aura disparu et poursuivra son ardente carrière vers d'autres culs en friche. Le pied géant, c'est tout de suite ou jamais.

D'autant que le monstre est lâché ! Un déchaînement dantesque ! Une furia qui glace le sang. Il la tape à cent vingt coups minute, Solange, mon Béru. Lui compote le prose ! La défonce en plein !

La porte s'ouvre et une petite vieillarde montre son museau de fouine. Elle regarde, tarde à comprendre ce dont il est question. Elle m'interroge du menton, moi qui suis disponible et calme.

Je mets un doigt verticalement sur mes lèvres. Elle porte une mallette, un petit banc de bois.

Elle m'approche, trottant menu et chuchote à mon oreille :

— Qu'est-ce qui se passe ?

— C'est pour la caméra indiscrète, réponds-je.

Ça la comble, elle sourit.

— Elle est où est-ce, la caméra ?

— Vous voyez cette vue de Monaco, au mur ?

— Derrière ?

— Exact.

— Je vais être sur le film ?

— Si vous le souhaitez…

— Bien sûr. Ma voisine sera jalouse.

— Qui êtes-vous ? demandé-je.

— Mme Verpillère Alexandra, je fais pédicure. Mme Vénérien a des ongles en carnet, je venais pour la traiter : elle n'ose plus laisser sa fille seule depuis… Mais je ne sais pas si vous êtes au courant ?

— Vaguement.

Cette fois, la Solange vient de franchir le point de non-retour et c'est la lumineuse jouissance. L'éclatement sensoriel parmi les nébuleuses. Elle se met à couiner, pour commencer. Petit mammifère pris dans les mâchoires d'un piège. Et puis ça s'articule, se module. Ça se fait approbateur. Elle a des accents raisonnables dans son délire. Elle le constate. Elle dit :

— Ah ! mais que c'est bon on on ! Plus foooort ! Donne ! Tout ! Tou ou ou ou t !

Ensuite, elle perd la cohérence pour se réfugier dans les chères onomatopées secourables, compagnes vigoureuses de nos sentiments exacerbés, de nos sensations les plus fortes. Langage mystérieux de nos démesures.

Ça donne à peu près :

— Mrrrrouiiii ! Vhouââàou ! Eeeeehhhh !

Après l'onomatopée vient le simple son. Fusant, long : « Fffffffff ». Une lettre suffit. L'onomatopée est principalement composée de voyelles ; le son d'extase ne va jamais plus loin que deux consommes à l'extrême rigueur : « Plllll ! ».

De son côté, Bérurier marque sa propre délivrance. Chez lui, le panard est invariable. Il lance un vibrant :

— Crrré bon gu !

Pour donner quitus à son Créateur. Le remercier de cette nouvelle et époustouflante charité qu'Il vient de lui accorder une fois de plus.

Lentement, il se dégage, au grand éberluement de la vieille pédoche.

— Elle avait tout ça dans le c... ? s'extasie-t-elle.

— Comme vous pouvez le constater, chère madame. Si le cœur de la femme est un violon, son corps est un fourreau, l'un comme l'autre parviennent à s'accommoder des plus longs archets.

Ayant biché son *foot* de douloureuse mais superbe façon, la Solange, guillerette, délivrée, agrandie, nous propose un café. Je l'accepte, ayant des recommandations à lui faire à propos de sa fille.

— Vous croyez que ces sales types peuvent revenir lui faire du mal ? s'inquiète-t-elle en branchant son percolateur.

Du moment qu'elle m'ouvre une brèche, je fonce !

— Je suis venu afin de vous en parler. Il faut d'urgence placer Martine dans une clinique pour la soustraire à tout danger. De plus, ça lui fera grand bien, au plan physique et moral.

— Oui, je le pense aussi.

Ce qui te prouve qu'une mère fraîchement empétardée reste attentive aux tourments de sa fille.

Elle ajoute :

— Mais c'est mon époux qui ne veut pas ; il dit que ce ne sera pas pris entièrement par la sécu.

— Vot' mari est un sale con, ma chérie, décrète formellement Alexandre-Benoît. Avec son radis rose en guise d'membre, c'est fatal. Les pas-chibrés, j'ai r'marqué l'combien qu'y sont mesquins. A croire qu'y z'en veuillent à la terre entière d'd'voir baiser av'c un' noix d' cajou ! Quand il voudra vous monter, y va s'apercevoir qu'l'appart'ment s'est agrandi, non ?

— Pff ! c'était déjà trop grand pour lui, fait la dame Vénérien.

On sent que, désormais, l'obscur mépris qu'elle témoignait à son époux s'est pour toujours changé en haine ; c'est pas un coup de canif que Béru vient de donner dans leur union, mais il a opéré un déblaiement de bulldozer.

— Quand ma fille sera mariée, je divorcerai ! décide brusquement la chère femme.

Comme quoi la vie est capricieuse. Cette femme, avant notre arrivée, s'accommodait de son triste sort, somme toute. Elle se contentait du minuscule cornichon de Vénérien. Et puis Béru l'engouffre avec son braque de déménageur de pianos et le voile de résignation se déchire ! L'insurrection éclate avec les restes de son hymen ! Ah ! vie, comme tu es imprévisible, longue et précaire, infâme et superbe !

La vieille pédicure a installé son attirail podologique, ouvert son banc pliant, placé une crasseuse serviette-éponge, originellement blanche, sur ses genoux cagneux.

— Ce sera quand c'est que vous voudrez, mame Vénérien, annonce-t-elle. Je voudrais pas vous bousculer en pleine émission de télé, mais j'ai encore deux clientes à faire dans le quartier.

La Solange pose ses pantoufles et s'assied face à celle qui la délivre de ses « ongles en carnet ». Ce faisant, elle exhale une plainte.

— Ça me brûle ! explique-t-elle.

— Faudrait que vous faisez quéques blablutions, conseille le Mastar. D'autant qu'si vous seriez opérationnelle, vous risquez la r'montée d'un d'mes al'vins dans vot' aquarium à babies. Ça lu f'rait combien d'écart av'c la grande ?

— Ça ne me déplairait pas, avoue Solange, songeuse.

Moment enchanteur.

— C'est comment, votre petit nom, commissaire ?

s'inquiète-t-elle. Si par hasard la chose se produisait, je l'appellerais comme vous, à condition que ce soit un garçon, évidemment.

— Ce serait un garçon ! déclare avec une grande péremptoirité Sa Majesté, on n'a jamais fait aut'chose, chez les Bérurier, aussi loin qu'on putasse remonter. Slave dit, mon blaze c'est Alexandre-Benoît.

Elle baisse ses paupières avec ferveur et répète, comme en prière :

— Alexandre-Benoît. C'est très beau !

— Ça fait de l'usage ! répond de façon énigmatique le Casanova au formidable appendice.

A cet instant, le téléphone craquette.

— Ça vous ennuierait de répondre ? me prie Solange dont le pinceau droit est déjà en cours de restructuration.

Le biniou est à portée de ma dextre. Je décroche.

— Vénérien ! annoncé-je.

— On voudrait parler à Martine, fait une voix morne.

— De la part de qui ?

— Appelez-la, on le lui dira.

— Martine vient d'entrer dans une maison de repos.

— Qu'elle y crève !

On raccroche.

Ça m'époustoufle toujours, moi, les ironies du hasard. Voilà que les gaziers tortureurs sonnent chez la pauvre gosse au moment où je m'y trouve et que c'est moi qui leur réponds ! Mais dis voir, ils ont de la suite dans les idées, ces misérables. Alors elle n'en a pas terminé avec eux, la pauvre môme ? Une rage glacée me dévale dans les extrémités.

— Qui était-ce ? s'inquiète la pédicurée.

— Je crains qu'il s'agisse des assassins d'Al Esbrouf. Il faut évacuer la petite de toute urgence, madame Vénérien. Je m'en occupe.

— Je ne sais pas ce qu'en pensera Siméon, répond-elle.

— Siméon ?

— Mon mari.

— Faites-vous pas d'souci, ma blanche hermine, glousse Bérurier. S'il en penserait du mal, ton minable, j'y craquerais la gueule avant de l'embastiller pour voie de fête su' la personne d'un officier de police !

Il a toujours su régler les litiges délicats de façon plaisante, Alexandre-Benoît.

CHAT CLOWN 4

Ils sont venus, ils sont tous là : le Gros, Blanc, Pinaud, Mathias, Violette, les autres. Pressés anchois, debout dans le bureau du Vieux (puisque tel est le bon plaisir du monarque tondu).

Il me verrait, serait moins content, Chilou. Debout sur son sous-main, l'Antonio joli, afin de bien dominer l'auditoire.

Je leur dis :

— Mes amis, ces meurtres racistes scandalisent les quatre cinquièmes du pays. Ils sont barbares, ils sont honteux, ils doivent cesser très vite et leurs auteurs châtiés. Les plus hautes instances nous ont fait comprendre que, dans certains cas, la justice expéditive serait la meilleure. Nous allons consacrer tous nos efforts à retrouver l'un des types ayant perpétré la première « action » et donné à la fille mission de diffuser le message notifiant cette déclaration de guerre du F.P. aux immigrés maghrébins ou noirs. Voici ce que je peux vous apprendre sur lui : il est costaud, trapu, avec une épaule plus haute que l'autre. Il porte une chaîne d'argent au cou et il aurait sur une main un tatouage représentant une araignée. Cette dernière précision sous réserves car elle m'a été fournie par la fille au message, laquelle est en pleine dépression. Toutefois, tenons-la pour valable et recherchons un tatoué de ce style. Je vous interdis de bouffer, de dormir, voire de déféquer avant d'avoir trouvé ce gazier ! En chasse !

Bref et péremptoire ! Efficace, donc !

Je congédie ces éminents collaborateurs, à l'exception de mon quatuor de choc : Béru, Blanc, Pinuche et Mathias.

— Quelque chose à proposer ? leur demandé-je.

Jérémie qui me semble tout rêveur, ce *morning*, murmure :

— Oui : moi !

— C'est-à-dire ? insisté-je.

— Ce « mouvement F.P. » a déclaré la guerre à qui ? Aux Africains qui frayent avec des Blanches, nous sommes bien d'accord ? Je vais momentanément quitter la police pour retrouver mon ancien boulot de balayeur et je me montrerai ostensiblement en compagnie d'une Blanche. On se retrouvera dans des bistrots, elle et moi. On ira dans des hôtels de passes. Bref, je ferai tout pour devenir la « victime idéale ». J'aurai sur moi un micro-émetteur afin de rester en liaison permanente avec le collègue qui me couvrira. Valable, non ?

— Merci, Jérémie, fais-je, je savais que tu étais courageux.

Bérurier, jalmince comme un pou, grongruche :

— Reste plus qu'à dénicher la femme blanche qu'acceptera d' s' maquer avec ce beau frisé !

— Ne t'inquiète pas pour ça, le remets-je en place, les beaux Noirpiots comme lui ont leur carnet de bal qui déborde et ils refusent du monde !

Il rengracie :

— C'est vrai qu'les gonzesses sont tell'ment salopes !

— Tu vas prendre Violette, décidé-je. C'est un de nos meilleurs éléments dans l'équipe et elle a le réchaud si incandescent que lorsque tu la driveras à l'hôtel, ce ne sera pas pour rien !

Il grisit de confusion.

— Si vous croyez que je pense à la bagatelle ! D'autant plus que c'est notre *fouzi-foula* à Ramadé et à moi !

— Ça consiste en quoi ?

— Nos quinze ans de mariage. On doit redoubler d'amour pour la circonstance et, pendant toute l'année, baiser au moins deux fois par jour : au coucher et au lever du soleil.

— Et quand la nature rend ta compagne indisponible ?

— En ce cas on la sodomise ; mais l'acte de chair est obligatoire !

— Si t'aurais b'soin d'un suppléant supplémentaire, fais-moi signe, ricane l'Ignominieux. J'déteste pas m'faire un' négresse, d'temps en temps. Elles baisent mal et elles ont la peau froide, mais leur gros cul est une vraie régalade pour l'homme qui raffole les formes.

— Y a combien de temps que tu n'as pas pris mon poing dans la gueule, Sac-à-merde ? demande M. Blanc.

Le Mammouth bondit :

— Sors dehors, qu' j't' rent' dedans, Mâchuré !

Là, le chef se doit d'intervenir :

— Ho, les gars ! C'est pas une réunion de boxe que je suis chargé d'organiser, mais une enquête classée urgentissime ! Alors, on se calme !

Le Mastar est sorti de son lit, pire qu'un torrent de

montagne à la fonte des neiges. Y a des grosses veines violettes plein sa hure, du sang dans ses orbites, de l'écume aux commissures de ses lèvres.

— Urgentissime, ton enquête, Sana? Urgentissime mon cul! Moi, je les donne raison, de mett' c'te racaillerie de melons et d'noirpiots au pas, les néonazis. Y viennent bouffer l'pain des Français et, n'en plus, y s'permettent de tirer leurs filles! Du balai! Retour à l'envoilieur! C'est dans des wagons à bestiaux qu'j'les r'conduirerais en Afrique, ces macaques vérolés.

Là, il se contrôle plus, Sana. Je sais bien que l'Enflure balance n'importe quoi quand il est en rage, mais il y a des paroles que je ne puis supporter, même exprimées par ce porc demeuré.

Je me précipite et lui administre une mandale capable d'arracher la tête d'un sanglier. Il en titube, le Béru.

Je le biche par le colback et le traîne jusqu'à la lourde :

— Casse-toi, sagouin! Et fais valoir tes droits à la retraite : je ne veux plus te voir!

Il est pantelant, tout soudain. Une chiffe, une loque, une breloque! Il sait qu'il a dépassé la mesure et proféré de l'irrémédiable. Il est anéanti. Des larmes lui viennent.

— Ecoute, Sana, ma pensée a dépassé mes paroles. J'sus prêt à faire des escuses.

— Taille-toi, te dis-je : tu nous fais gerber!

Il opine, vaincu. Avant de franchir le seuil, il bredouille :

— Vous savez pas? J'vous pisse à la raie!

Et il s'en va.

Il portait un loup de velours noir et un chapeau de feutre à large bord. Il faisait très Fantômas. Mais cela plaisait à ses « disciples ». Le mystère est une aristocratie pour les cons. Il parlait à une tribune étroite drapée d'un drapeau tricolore. De part et d'autre de celle-ci se trouvaient les lettres F et P découpées dans du contreplaqué et également peintes aux trois couleurs. La sono grésillait un peu, ce qui l'agaçait. Ses dérapages dans l'aigu distrayaient fatalement l'auditoire.

Il déclarait :

— Notre action dûment préparée a commencé en fanfare. Nous faisons les gros titres des médias. Les métèques claquent des dents. Le gouvernement perd la tête. Je vous invite, compagnons, à redoubler de prudence car les forces policières sont aux aguets. Avant d'intervenir, lorsque vous avez jeté votre dévolu sur l'un de ces macaques, veillez à ce que la voie soit parfaitement dégagée. Protégez vos arrières. N'agissez qu'à coup sûr. Plus nous nous enfoncerons dans l'action, plus seront grandes les difficultés, mais dites-vous bien qu'il s'agit d'une croisade. La voix des tribuns de droite n'est qu'une foutaise qui n'abuse plus personne. Maintenant, si je puis m'exprimer ainsi : la parole est aux actes. Notre devise ? « Jusqu'au bout pour une France enfin propre ! »

Il y eut un tonnerre de vivats.

L'orateur reprit :

— Le moment est venu d'accentuer la pression. Il faut que chaque jour, un violeur de Blanches soit mis à mal. Bientôt, toutes les putes qui forniquent avec ces dégénérés, parce qu'ils passent pour avoir un sexe de fort calibre, n'oseront plus se laisser approcher par eux. Que les brigades d'observation établissent des dossiers très complets pour les brigades d'intervention ; et je vous le répète : c'est dans une préparation consciencieuse que réside le succès. Jusqu'à présent, nous n'avons à déplorer aucune perte dans nos rangs. Et savez-vous pourquoi, mes compagnons ? Parce que chaque opération a fait l'objet de soins méticuleux.

Il parlait d'une voix grave et vibrante qui remuait son public. Il savait faire passer un souffle d'épopée sur ce qui n'était que des crimes de sadiques.

Il ajouta que bientôt leur exemple serait suivi par tout le monde occidental.

Il termina en apothéose, prenant à partie la légèreté impardonnable des conquérants du siècle dernier qui avaient failli à leur tâche colonisatrice.

— Il fallait exterminer tous ces bougnoules ! fit-il en guise de péroraison. N'en conserver que quelques spécimens dans des réserves, à titre de curiosité ; mais au lieu de cela, on les a vaccinés ! Nous payons aujourd'hui l'inconséquence de nos pères.

« Heureusement, une aube nouvelle s'est levée. Le F.P. est né, qui crie « Halte-là « aux rastas séducteurs. Fourbissons nos armes, mes compagnons, afin de rendre la France à elle-même. Le dernier vers de *la Marseillaise* est devenu notre fière devise : "Qu'un sang impur abreuve nos sillons." »

Il se tut.

Une sueur abondante coulait de sous son masque. Il épongea avec sa pochette le pourtour du loup de velours et vida sa carafe tandis que ses « disciples » l'acclamaient.

*
* *

Le « tuyau » me parvint en début d'après-midi. Il émanait d'un jeune commissaire fraîchement « moulu de l'école », comme disait l'infâme Bérurier. Esprit rusé, le bougre s'était fait un *look* du tonnerre : cheveux presque à ras, vêtements de cuir, faux tatouages subversifs aux avant-bras, expression de cogneur, accessoires de « fouteur de merde sur voie publique », Jean-Paul Mizinsky traînait une frime à guérir les hoquets récalcitrants des vieux retraités, des mercières et des jeunes filles pubères.

Depuis le début de cette série d'attentats, il avait noué des relations dans les milieux extrémistes, vis-à-vis desquels Jean-Marie Le Clenche passe pour un gauchiste léniniste. Il vidait force bibines avec eux, effrayait en leur compagnie les petits-bourgeois de la banlieue ouest et épinglait volontiers sur le gilet de garçon de café lui tenant lieu de chemise, la croix gammée ainsi que d'autres décorations funèbres issues du IIIe Reich.

Il m'appela donc au moment où j'étudiais avec Mathias le système de protection dont on allait pourvoir Jérémie Blanc avant de le lâcher sur la voie publique avec Violette, la pétroleuse de choc.

— J'ai quelque chose d'intéressant, monsieur le commissaire.

Bien qu'il eût le même grade que moi, il faisait sonner mon titre avec déférence. Je l'invitai à me rejoindre, ce qu'il fit rapidement. En pénétrant dans le bureau du Vieux, il s'éventait avec quelques photographies luisantes comme un veau de la nuit.

On entendait ronfler Pinaud dans le fauteuil des

interlocuteurs privilégiés. Son doux moteur créait une ambiance quiète et coite. On songeait à une soirée près d'un âtre de campagne, avec la molle pétarade des châtaignes éclatant dans la poêle à trous.

Mizinsky me montra les images. Il y en avait trois. Elles représentaient un vaurien massif, un peu voûté portant sur le poignet droit une croix gammée tatouée ; selon les plissements de la peau, l'insigne devait ressembler à une araignée stylisée.

— Croyez-vous que cela puisse cadrer, commissaire ? questionna mon confrère.

J'étudiai les clichés attentivement.

— Pourquoi pas ? C'est qui, ce beau jeune homme ?

— Il vend de la bijouterie-quincaille à Beaubourg en compagnie d'une sauterelle camée.

— Il faudrait le serrer, mon cher ami.

— Sous quel motif, monsieur le commissaire ?

— Ecoutez, vieux, les ordres sont formels : des résultats par n'importe quel moyen. Vous allez constituer une petite brigade marginale d'hommes qui n'ont pas trop l'esprit fonctionnaire. Trouvez-vous un P.C. discret, genre usine abandonnée où vous amènerez les mecs douteux. Nous devons nous battre avec les armes de l'ennemi si nous voulons le vaincre. Usez de cagoules vous aussi et de nerfs de bœuf. Compris ? Lorsque ce guignol sera à dispose, faites-moi signe, j'irai vous rejoindre, car je ne veux pas que vous et vos futurs équipiers pensiez que je me défile et laisse l'illégal aux petits copains.

— Entendu, monsieur le commissaire.

Il se retire.

La voix de Pinuche retentit, entre deux ronflements :

— Tu n'as pas peur que ce petit jeu t'entraîne trop loin, Antoine ?

Peur ! Moi ? Avec mon Damart thermolactyl ? Il se fourvoie, grand-père, patauge dans du caramel, met son dentier en torche !

— Les pauvres Africains qu'on a torturés et butés, eux, oui, ont été entraînés trop loin ! riposté-je avec cette belle véhémence qui laisse entendre aux dames que j'aurai toujours vingt-cinq centimètres de bite à leur proposer les jours de pluie ou de grève à l'E.D.F.

Il se le tient tu sais pour combien ? Pas pour un, mais pour dix !

Là-dessus (ou là-dessous), le téléphone grésille : c'est le Vieux. La voix affaiblie, le parler hésitant :

— C'est vous, Antoine ?

— En effet, monsieur le directeur.

— Figurez-vous qu'au moment de vous appeler je ne me rappelais plus mon numéro de téléphone.

— Normal : vous êtes la seule personne qui ne l'employez jamais.

Ça le ragaillardit.

— C'est vrai ce que vous dites. Et moi qui me croyais déjà gâteux !

— Oh ! le moral semble bas, patron ?

Un temps assez long s'écoule ; je crois percevoir un bruit étrange venu d'ailleurs, un peu comme si Chilou sanglotait.

— Monsieur le directeur ! appelé-je doucement.

Ça renifle au lieu de répondre.

Dérouté, je balbutie :

— Je peux vous aider ?

— Vous n'êtes pas Méphisto, San-Antonio ; tandis que moi, je suis bel et bien le docteur Faust !

— Que me baillez-vous là, patron !

— La dure vérité, mon petit : je me meurs !

Une vague géante d'infinie tristesse me submerge. Achille fermant son pébroque ! Voilà qui est duraille à concevoir. Je sais la précarité des êtres, mais il existe des gens qui te donnent l'impression de ne jamais devoir cesser. Achille en fait partie. C'est une sorte de présence immuable, le Dirluche, kif les pyramides ou le temple d'Angkor.

— Ne vous laissez pas démoraliser par une simple avarie de machine, boss. Tout individu, qu'il soit jeune ou non, traverse des creux de vague. Ce virus qui vous affecte subit les assauts de la médecine. Dans quelques jours il sera vaincu et vous retrouverez cette vitalité que vous craignez avoir perdue. On parie ?

Il bredouille :

— Ne vous donnez pas tant de mal, mon garçon : je me sens tel que je suis, c'est-à-dire rongé, miné. Mon entourage me tait la vérité par charité, mais le nom véritable de ma maladie est planté dans mon cerveau.

Tu sais quoi ? J'éclate de rire.

— Ça vous amuse, Antoine ?

— Presque ! Figurez-vous, patron, que lorsque nous attendions d'être reçus par vous à votre domicile, nous avons commis l'indiscrétion de regarder dans votre chambre par le trou de la serrure. Une Madame Claude et sa gentille pensionnaire « s'occupaient » de vous et j'ai cru comprendre que leurs efforts furent couronnés de succès.

Il ne se fâche pas.

— Le démarrage a été difficile, objecte-t-il.

— Mais l'arrivée triomphale, patron ! Croyez-vous qu'un homme gravement malade puisse s'autoriser pareille fantaisie ? La fornication est le baromètre de la vie, monsieur le directeur. L'homme capable d'éjaculer est un homme en vie !

— Oui, c'est probablement juste, convient-il en minaudant déjà. Ah ! je vous aime, mon tout petit ! Comme vous êtes bien mon parfait disciple ! Ma créature, ma chose ! A propos d'éjaculer, je vous téléphonais pour vous demander un service.

Passablement éberlué, je réponds que « Si je peux vous le rendre, monsieur le directeur… ».

— Oh ! que oui, vous le pouvez, grand queutard !

Et il m'explique que, depuis lurette, il a pris rendez-vous ce jour avec une somptueuse créature rencontrée dans l'avion de New York il y a tantôt deux mois. Une femme à se mettre à genoux devant elle (pour mieux lui groumer la saucière de Salem).

— Norvégienne, Antoine ! Avocate internationale travaillant principalement aux U.S.A. Elle vient à Paris pour un congrès. Je lui ai promis de l'inviter à dîner ce soir, chez Bocuse, ce qui constitue l'un des rêves de sa vie. Tout est retenu : la table et l'hélicoptère chargé de nous y conduire. Le menu est fait et on enverra la note au ministère. Elle va se présenter à la Grande Maison à 16 heures. Vous lui ferez visiter nos différents services. Une Rolls, MA Rolls, vous pilotera jusqu'à l'héliport. Atterrissage sur le parking du maître queux que protégera un cordon de C.R.S.

« Le repas terminé, l'engin vous ramènera à Paris. La même Rolls, MA Rolls, vous pilotera jusqu'au *Royal Chambord* où la suite présidentielle vous sera réservée. Dans le grand salon dudit appartement, des hôtesses « attentives » s'occuperont de vous et vous projetteront un film érotique de haut niveau intitulé « Mémoires du clitoris de la Princesse X. ». Je l'ai vu : un chef-d'œuvre ! Même Sa Majesté la reine Fabiola n'y pourrait résister et pomperait le premier garde-champêtre venu, en le visionnant. Mais je ne vous en dis pas davantage. Bien entendu, du champagne millésimé, contenant une légère dose d'aphrodisiaque, vous sera servi abondamment en cours de séance.

« Pour la conclusion de cette fine soirée, je la laisse à votre entière discrétion, mon chérubin. N'ayez pas peur de taper fort. Plus elles sont distinguées, plus elles sont salopes ! Songez seulement que c'est MOI que vous allez représenter. »

De plus en plus suffoqué, je murmure :

— Je ferai comme pour vous, monsieur le directeur.

Après cette étrange converse je regarde l'heure. Puis je me lève sur la pointe des pieds afin de ne pas réveiller Pinuche.

— Où vas-tu ? s'inquiète le digne homme avant que j'aie atteint la porte.

— Me changer : je dois participer à un gala auquel je ne m'attendais pas.

CHAT CLOWN 5

Elle n'était pas tout à fait aussi belle que le prétendait le Vioque, mais elle possédait par contre un charme fou que le gars Chilou n'avait pas mentionné : sa façon de sourire en plissant les yeux, sa lèvre inférieure perpétuellement humide, ces regards incisifs qu'elle vous jetait à la dérobée et qui vous chatouillaient sous les roustons, et sa voix surtout ! Rauque, sensuelle, pleine de vibrations bouleversantes. Son âge ? La quarantaine à peine dépassée (sans avoir mis son clignotant). Elle n'était pas grande, ce qui la rendait « manipulable à souhait ».

A première vue, j'ai senti tout le parti à tirer de sa petite taille et de sa flexibilité. Cette nana, elle devait s'entortiller comme une couleuvre autour de ta cheville et remonter ta jambe jusqu'au braque pour te le décortiquer. C'était le genre de sujet d'élite que tu peux pratiquer une nuit entière sans débander ; qu'à peine tu vas refaire la frimousse de ton jouflu aux toilettes pour te réhabiliter les glandes, les désurmener.

Elle porte un tailleur Chanel bleu à col de velours noir. Ses châsses sont presque de la même couleur :

bleu et noir. Y a du bleu dans le milieu, avec un serti à l'encre de Chine ; du tonnerre ! Pour ce qui est des formes, ses nichebars ont le volume (et je te parie la consistance) de deux pommes californiennes ; quant au balancier arrière, il a été modulé par un luthier. Elle s'appelle July Larsen.

C'est à peu près tout ce que j'ai envie de t'en dire pour l'instant, mais je te parie une queue-de-cheval contre une queue d'émigrant albanais que je reviendrai avant longtemps sur la question.

Tu vas me dire qu'une mission aussi capiteuse devrait me botter et que je jouis d'une chance insolente ? D'accord. Seulement, compte tenu des circonstances, je m'en passerais bien, avec les responsabilités que j'assume.

Afin de garder le contact, on décide d'établir une liaison permanente avec l'hélico qui nous emmène chez Bocuse. Comme, pendant la jaffe, il demeurera sur le parking de l'illustre, je serai donc à portée de voix de mon brain-trust en cas d'urgence.

Au moment de notre rencontre, elle est *very* surprise, July Larsen, de me voir remplacer le Vénérable au pied levé. Mais je lui explique le vilain virus de Chilou. Comme les festivités sont maintenues et que je ne suis pas trop mal de ma personne, la belle Norvégienne accepte sans rechigner mon intérim.

Alors, bon, pas la peine de t'en faire un documentaire... Visite de la Poule, comme s'il était passionnant pour une superbe dame de traverser des bureaux bourdonnant de téléscripteurs, bourrés de flics et de gens douteux (ce sont parfois les mêmes), puant les pinceaux négligés, le papier, le café, la harde, le drap d'uniforme, le chien mouillé, le parfum de vil prix, le sandwich oublié dans un tiroir, la porte des gogues mal fermée, le déodorant à la citronnelle, la gonzesse en perdition, le tabac sous toutes ses honteuses formes de consommation (y compris la chique).

Ensuite, champagne tiède d'honneur à la cafétéria en compagnie de quelques confrères qui crèvent de jalousie en me voyant embarquer ce sujet d'élite ; *after why*, nous grimpons dans la Rolls du Vieux, solennellement pilotée par Ross, le valet britannique de Monseigneur le Pelé.

L'héliport ! Notre appareil vêtu de blanc, de bleu et cocarde tricolore, nous attend en agitant ses pales comme des bras de plainte (Verhaeren) sur la piste.

Le pilote qui voit s'approcher la Rolls-Ross (ou la Ross-Royce) à travers sa bulle, m'adresse des gestes véhéments pour me demander de faire fissa.

Je gravis la marche et il me désigne un combiné.

— Communication urgente pour vous, commissaire.

J'empoigne la passoire à déconne. C'est mon jeune confrère, le commissaire Mizinsky.

— Pardon de vous courser, commissaire, je viens d'avoir un os de première catégorie.

Il est haletant et sa voix loyale produit des couacs.

— Quel os, mon bon Jean-Paul ? l'encouragé-je, plein de mansuétude ignifugée.

— Le connard à la croix gammée tatouée sur la main…

— Eh bien ?

— On est allés le serrer dans sa boutique de pin's. Il a renaudé comme un pou sale ; voulait téléphoner avant de nous suivre, parlait de violation des droits de l'homme, d'avocat. J'ai été obligé de lui mettre un coup de coude dans l'estomac pour le calmer. Une petite recette que m'a enseignée un ancien *marine* ricain. Bref, on l'emballe, menottes aux mains. Je pilotais la tire banalisée tandis qu'un de mes hommes se tenait près de lui à l'arrière : Longiteur, un gros empaqueté de connerie.

« Comme on débouche à l'Hôtel de Ville, le gonzier ouvre sa portière et bondit hors de la voiture. A cet instant, un motocycliste a débouché, espérant passer à l'orange. Il cueille Meximieux, mon client, de plein fouet et le propulse à vingt mètres sous les roues d'un autobus. Le gars buté net : les cervicales. Vous devez me prendre pour une pomme, commissaire. On aurait dû aller le cueillir à trois ou quatre, mais comme tous les effectifs sont sur le pied de guerre... »

Il est éperdument désolé.

Je lui remonte le chapiteau :

— Vous n'allez pas entrer dans les ordres à cause de ça, Mizinsky ! Rabattez-vous sur sa potesse, ses copains. Etudiez son emploi du temps, le jour du premier attentat.

— Merci, commissaire. Je m'y colle.

Après ça, je redescends pour prier la July jolie de monter à bord.

Elle parle français par amour de cette langue incomparable, la petite Larsen ; donc à la perfection. Ce qui transparaît d'accent, comme toujours est mourant. Un accent est irrésistible dans la bouche d'une belle fille.

On discute de sa profession, de sa vie vagabonde d'un continent à l'autre ; du Vieux il n'a presque pas été question. « Il est malade ? Ah ! bon. Meilleurs vœux de prompt rétablissement » et point à la ligne. Elle est tout au plaisir de cette aventure gastronomique. Elle prétend que la France démontre son intelligence à travers sa cuisine et sa mode, la bouffe et l'élégance étant, selon elle, une fête des sens toujours répétée.

Arrivée à Collonges-au-Mont-d'Or. Réception par les chasseurs noirs en livrée rouge du maître. On nous drive jusqu'au saint des saints où un formidable portrait tricolorisant du chef suprême nous accueille. Survient le modèle, dans la tenue du portrait. Je me prosterne devant le premier et serre la main du second. Présentations. July verse quelques larmes d'émotion en apercevant l'illustre. Elle lui voue un culte ; connaît tout de sa vie, de son œuvre, de sa pensée, de sa tortore. Faut dire que dans son bled à la con on ne briffe que du poisson fumé et du renne en ragoût.

En ouvrant le menu grand comme un paravent, elle défaille et on doit la « ramener » à coups d'Arquebuse de Notre-Dame-de-l'Hermitage, vulnéraire de la région Rhône-Alpes au goût effroyable mais qu'aucun ivrogne lyonnais ne saurait ignorer. Elle retrouve suffisamment de son self pour attaquer le champagne. Ensuite ça va tout seul et les agapes commencent au milieu de ce luxe inouï où grouillent les toiles de maître et les maîtres d'hôtel.

Chose curieuse, je n'arrive pas à la chambrer, Poupette. J'aimerais profiter de ce dîner pour préparer la nuitée qui s'ensuivra, mais elle n'attache aucune importance à mes œillades enjôleuses, non plus qu'à mes sourires humides. Dès que je place un madrigal, elle reste sans réaction et y répond par des considérations terre à terre. Dis, il se serait pas gouré, Chilou ? Cette ravissante Scandinave ne donnerait-elle point dans le jambon persillé ? Ça m'est déjà arrivé, une telle erreur de branchement. Je me rappelle une grande sauterelle alléchante que j'avais prise à lécher et qui, au dessert, alors que mon goumi battait déjà la mesure à quatre temps sous la table, m'a descendu les émois en flammes comme quoi elle s'expliquait à la menteuse et au gode ouvragé avec une potesse. T'as bonne mine dans ces cas-là. L'envie te prend de lui filer la crème renversée sur le chignon !

La July, je commence à lui prendre mes distances. Si elle va à la cueillette du cresson, grand bien lui fasse ; moi j'arrête là mon numéro de Casanova en délire ! Me laisse glisser dans les mutismes, les rêvasseries turpides pour des coups futurs. Justement, le divisionnaire Paul Audère s'est remarié et a organisé un buffet pour nous présenter à sa nouvelle (la première l'a largué pour un pianiste de bar). Audère il est dans les roux pâles et ressemble à l'œuvre de Van Gogh. T'ajoutes un strabisme tellement divergent qu'il a l'air de se surveiller les oreilles et une tache de vin au front, façon Gorbatchev (mais lui ça représente simplement la Corse au lieu du continent américain) et t'as l'homme. Elégance suprême comme on dit puis, c'est le plus Brummell de tous les albinos que je connais.

Pour t'en revenir à sa sauterie, sa seconde polka a fait tilt en me voyant. Ticket monumental ! J'en étais gêné. Une vraie goulue. Du genre gonzesse qui te jette son dévolu contre, et à toi de te démerder, mon bébé ! Au bout de cinq minutes, elle me coinçait au buffet et m'adjurait de l'appeler pour lui filer un ranque, comme quoi elle était libre tous les après-midi, et qu'au besoin, elle pourrait même goupiller « ça » un matin. Elle me parlait comme pendant une pipe, tu sais ? Quand ta frivole s'inquiète de savoir si « c'est bon comme ça », et que toi tu lui réponds de ne rien changer à sa démarche culturelle. Qu'au bout de peu tu t'offres une hallebarde du XVe siècle parée pour tous les embrochages envisageables. Je lui ai juré de tuber incessamment à son apparte. Ça fait déjà cinq-six jours et puis j'ai oublié. Et pile elle me revient en mémoire et en braguette, la gentille médème. Coiffure courte, dans les brun châtain, visage rieur, regard tendre et salopiot, un corps flexible avec lequel tu peux échafauder mille combinaisons pernicieuses. Dès demain, elle aura droit à son coup de turlu, en attendant les autres.

Un serveur vient me chuchoter dans le cornet acoustique qu'on me demande au téléphone. Un mot d'excuse à ma compagne et je le suis jusqu'à une cabine capitonnée.

La voix de Dabe, un peu blanche et vacillante. C'est vrai qu'il devient pâlot de l'existence, le Tondu. Et si ses vilains pressentiments étaient fondés ? Tu vois pas qu'il soit en train de nous donner sa représentation d'adieu, l'Achille ?

— Ça se passe comment, San-Antonio ?

— Couci-couça, patron. Le dîner est délectable, la fille jolie, mais je me demande si les hommes l'intéressent ? En tout cas, je ne dois pas être son genre car mes tentatives galantes sont considérées comme nulles et non avenues.

Il a un petit rire désenchanté.

— Elle ne m'avait pas donné une telle impression, mon cher Antoine.

— Sans doute parce que votre charme est plus opérant que le mien, patron.

— Vil flatteur ! Le charme d'un vieux beau est pareil

à celui d'un flacon de parfum vide. Le vôtre est neuf, ardent, vivant ! Quelle donzelle, fût-elle lesbienne, n'y succomberait ! Mais ce n'est pas pour débattre de ce genre de choses que je vous téléphone, mon petit…

Il a un temps, comme si parler l'épuisait. J'attends avec respect et tristesse. Tu sais qu'il file du mauvais coton, Pépère ? Ça me chagrine en plein. Je l'aime, moi, cette vieille baderne, depuis des années qu'elle me les brise avec ses redondances et ses rognes injustifiées.

— Pendant votre retour sur Paris, Antoine, il y aura un incident de parcours. Non, je ne suis pas un extralucide, rassurez-vous : la chose est dûment préméditée. Je ne vous en ai pas parlé plus tôt parce qu'il n'était pas évident que nous puissions la réaliser. Je viens seulement d'être informé que nous avons le feu vert. Quoi qu'il arrive, jouez la situation et ne vous inquiétez de rien. Bon courage !

Il raccroche, là-bas, dans sa cage de verre. Salaud de vieux schpountz : c'est lui le virus ! Quelle torve combine a-t-il encore goupillée depuis sa boîte à microbes ?

Je reviens à notre table.

— Vous ne faites pas un métier de tout repos, remarque July Larsen.

On en est à la poularde à la crème : une volupté ! Je souris vague. Suis préoccupé par l'avertissement de Pépère. Qu'entend-il par « un incident de parcours » ?

*
* *

Violette a mis une jupette ras-de-moule qui a tendance à remonter encore. On lui voit le slip qui est gris perle avec de la jolie dentelle noire. Elle est installée

sur une banquette du *Café des Francs-Tireurs*, face
à la rue, et y a des vieux salingues qui font semblant
de rattacher leurs lacets pour lui mater la chagatte en
douce. Elle s'en gaffe pas, biscotte elle se laisse dra-
guer comme une dingue par un superbe Noir en qui tu
reconnais Jérémie Blanc. Il est saboulé en beige clair,
avec des pompes de daim beurre frais et sa grosse pat-
toune d'acajou plonge dans le top de la môme, manière
de lui « faire » le bout des seins.

Le patron des *Francs-Tireurs* louche sur ces pri-
vautés d'un air mécontent. Il se vante de ne pas être
raciste, mais ajoute que « n'anmoins, il n'aime pas les
bougnoules ». Il a une nièce qui s'est laissé mettre en
cloque par un Ivoirien, et ce salaud l'a épousée ! Un
comble !

M. Blanc joue le rôle du tombeur noir à la perfection. Faut dire qu'il s'en ressent pour l'inspecteur
Violette. Une surdouée du réchaud, la mère ! Elle te
met le zifolo en copeaux. Avec cette greluse, faut tirer
ses deux coups dans la foulée tellement que t'as pas le
temps de voir partir le premier. Il t'explose dans les
guenilles rien qu'à cause des effluves de Violette, de la
délicatesse de son toucher.

Il a eu tort de mettre un futal étroit, Messire Négus,
là-dedans son braque épanouit mal. Est contraint de se
développer à plat, en sinuant ; ça gêne l'agrément de la
bandoche. Le beau dard nègre lutte contre la pression
de l'étoffe. Violette qui y porte la main arrive plus
à démêler où il commence ni où il finit, le panais à
Jérémie. Tu parles d'un bretzel !

— Tu vas me le mettre, j'espère ? sollicite-t-elle.

Connarde ! Que voudrait-elle qu'il en fît d'un morcif
pareil, le malheureux ?

— Evidemment, répond l'étalon noir, mais il faut d'abord qu'on se montre bien, c'est capital.

Elle soupire :

— Tu ne peux pas t'imaginer ce que j'ai envie de me l'effacer. Tu sais comment je vois ça, Jéjé ?

Il sait pas.

Elle dit :

— Toi assis sur une chaise et je te chevauche !

— O.K., répond sobrement M. Blanc ; mais je pourrai pas rester passif longtemps.

— Quand tu en auras quine, tu me porteras sur le lit !

Il trouve le programme pas mal conçu. Elle a une babasse comme une entrée de métro, Violette, à force d'en prendre des vigoureuses (même Béru l'a astiquée). Son secret à cette énervée du frifri, c'est de flanquer des grands coups de talon au mec, pendant qu'il l'officie. Elle parvient à lui en ajuster dans les aumônières et ça centuple les ardeurs.

Le bistrotier, il les voit de plus en plus grimper en mayonnaise et il est sur le point d'exploser. Il va aller leur dire que son établissement n'est pas un bouic et que sa clientèle a toujours été sélecte. Pour les parties de trou du cul, faut aller au *Fatima Hôtel*, à l'autre bout de la strasse. Ça y est, il dépose sur la paillasse du comptoir le verre qu'il essuyait et s'avance sur le couple en lissant sa bacchante de directeur de cirque bulgare.

Juste qu'il va tonner, le moricaud lui demande s'il a du champagne. Ça lui coupe ses effets à l'Auverpiot.

— Du champagne ? répète-t-il en écho.

— On aimerait en boire une bouteille, précise le nègre.

Le commerçant prend le pas sur le pudibond.

— J'ai du Lucien Saillet millésimé, se souvient-il.

— Amenez-moi une bouteille bien frappée, patron !

— Avec plaisir, monsieur. On mettra du gros sel dans le seau à glace pour hâter le refroidissement.

Tout courroux éteint, le moustachu va préparer la boutanche de roteux. Il est rarissime qu'il serve du champ' dans son bistrot. Et faut que ce soit un enviandé de negro qui en commande. Un marlou, il gage, en train de chambrer une polka pour la mettre sur le ruban. Qui sait même s'il mijote pas de l'expédier aux asperges par-delà les océans ? Connasses de filles qui veulent tâter au paf des *colored*, comme si c'était meilleur qu'un beau joufflu de chez nous, plein de poils et de comédons. Du bon paf de comice sans histoires, mais qui te fait la route (et la biroute) gaillardement.

— Pourquoi commandes-tu du champagne ? murmure Violette.

— Pour me faire remarquer. Un sale nègre qui sable le champ' avec une Blanche dans un petit troquet de quartier, ça ébouriffe les clilles.

— Tu es intelligent, note la pécore.

— Pour un Black, j'ai pas à me plaindre, convient M. Blanc.

Nous vidons notre coupe de Dom Pérignon. Comme l'addition est réglée, je laisse un gros talbin sur la table à l'intention du personnel ; pas paraître petzouille en un lieu si prestigieux.

Avant de le quitter, nous nous agenouillons devant l'immense portrait de l'entrée pour une ultime action de grasse. La conscience légère mais l'estomac bondé, nous rejoignons notre hélico et, bientôt, c'est le décollage vertical somptueux près de l'admirable façade verte et rouge dont l'appareil fait frémir les rideaux (car plusieurs fenêtres en sont ouvertes).

— Votre opinion, chère July ? fais-je après avoir bouclé ma ceinture.

— Inoubliable ! assure la Norvégienne.

Seules, les minuscules loupiotes versicolores du tableau de bord éclairent l'habitacle. Douce pénombre, créatrice d'un isolement capiteux. Le bruit du moteur ajoute encore à ce sentiment étrange de « marginalisation ». Nonobstant le comportement de la mère Larsen, je saisis sa main. Elle ne me la retire pas.

— J'aime me trouver au côté d'une jolie femme, la nuit, dans l'espace. Le temps n'existe plus. Seule subsiste cette exquise notion d'être en suspension, à deux, au fond de notre galaxie.

Je me tais, me demandant si la phrase, pour poétique qu'elle se souhaite, ne serait pas un peu trop « chargée ». Pourtant, July presse mes doigts. Alors quoi ? Elle était trop accaparée par la bouffe chez le grand Paul et maintenant, gavée, elle se tournerait vers d'autres plaisirs ? Ça m'arrange de penser ça. Peut-être pourrais-je pousser un brin l'avantage ? Mais non : inutile d'effrayer la proie. Nous avons le temps. La soirée s'achève, mais la nuit commence.

CHAT CLOWN 6

Par instants, notre pilote jacte dans le micro placé devant sa bouche. Il profère des paroles techniques, un graillonnement que je juge inaudible lui répond. Il s'en contente et continue de driver son Ecureuil.

La tête de July est maintenant sur mon épaule. Le rythme de sa respiration me laisse à penser qu'elle dort.

Soudain, un bruit anormal se fait entendre, qui évoque celui d'une crécelle de lépreux.

— Qu'est-ce qui se passe ? demandé-je au pilote.

Il grommelle :

— Je crains que ce soit la bielle du rotor.

— C'est grave, docteur ?

Au lieu de répondre, il se met à jacter dans son micro, expliquant calmement à quelque terrien à l'écoute qu'il a des couilles avec son engin.

Et moi, d'un calme illicite, je pense à l'avertissement récent de Chilou : « Pendant votre retour sur Paris, il y aura un incident de parcours. » Eh bien, je suppose que le voilà !

— Nous avons des ennuis ? demande July Larsen sans s'affoler.

— Je ne crois pas qu'ils soient bien graves.

— Ce bruit n'est pas très sympathique, note-t-elle.

Je souris.

— Il me rappelle celui que produisait le morceau de carton léger que je fixais, jadis, à la fourche de mon vélo. Il frottait contre les rayons de la roue, ce qui donnait une petite pétarade similaire à celle-ci. Tout ce qui peut rappeler un moteur excite les garçons.

Notre pilote vient de couper le contact avec ses interlocuteurs du rez-de-chaussée.

— Nous allons nous poser sur l'aéro-club de Chalon-sur-Saône, déclare-t-il. Je pense pouvoir réparer moi-même. Dans le cas contraire, une auto vous conduira à Paris.

— Je suis navré de ce contretemps, soupiré-je.

July Larsen hausse les épaules.

— J'ai toute la nuit devant moi, vous savez !

Tiens, tiens ! On dirait qu'elle a complètement rendu les armes, cette exquise.

Quelques lumières parsèment le terrain. On sent qu'il n'est pas d'un usage nocturne. Notre Ecureuil se pose sans bavures. Si ce n'était la fameuse crécelle, tout à son bord semblerait normal.

L'hélico-driver ouvre la lourde et saute sur le terrain qui sent l'herbe mouillée. Il tend la main à notre passagère pour l'aider à déhotter.

— Le club-house vient d'être rouvert pour la circonstance, annonce-t-il en désignant une petite construction éclairée, tout près de l'appareil. C'est bien le diable si on ne peut vous servir un café !

Je biche July par la taille et l'entraîne. Elle ne prend pas mal du tout la mésaventure.

Comme nous parvenons à la construction, une Jeep débouche sur le terrain, phares allumés et se dirige droit vers notre coucou.

— Le mécano, je suppose, dis-je à ma compagne d'infortune du pot.

Et nous entrons dans une sorte de café en tenue de nuit (les chaises sont sur les tables). Un mec en imperméable par-dessus un pyjama de pilou ayant appartenu à son grand-père, met en route le perco.

— Bonsoir! claironné-je. On vous dérange?

Il a de la malrasance genre cactus plein sa frime maussade, le regard évasif, la bouche en fond de cage de perroquet.

Il grogne je ne sais quoi.

— Du café, bien sûr? ajoute-t-il à son inaudibilité.

— Volontiers.

Nous déchaisons un dessus de table formiqueuse et prenons place. Des photos d'avions à moteur plus ou moins anciens tapissent les murs en frisette de bois. Quelques coupes sur des étagères. Des fanions triangulaires festonnent de-ci et même de-là.

Le gérant du club-house tire deux tasses à sa loco-motive, plonge une méchante cuillère à café dans cha-cune d'elles, chope quelques sucres dans une coupe et nous apporte le tout. Les fafs qui enveloppent les sucres représentent les dominos. Tu me croiras ou tu iras te faire foutre, c'est le double six qui m'échoit. J'y vois comme un présage positif.

Pendant que nous sommes en train de souffler sur notre brûlant breuvage, la porte s'ouvre sur le pilote.

— Trois fois rien! annonce-t-il. Dans dix minutes on va pouvoir repartir.

La nouvelle nous botte (de sept lieues).

Le gars ajoute :

— Pouvez-vous venir un instant, commissaire ?

Intrigué, je me lève et lui filoche le dur. Il me précède sans un mot jusqu'à l'Écureuil et me fait signe d'y grimper.

J'obtempère. Grande est ma surprise quand je vois le pilote en faire autant et verrouiller la lourde.

— Comment, fais-je, on repart sans elle ?

Il murmure en s'installant à son siège de pilotage :

— Les ordres, commissaire !

Il en a de savoureuses, cézigmuche. Je n'aimerais pas mourir idiot. Ça veut dire quoi ce micmac ?

A cet instant, je constate qu'une troisième personne se trouve également dans le zinc. Je m'en approche et, comme on dit depuis 1859 (année où Ponson du Terrail publia *Les Exploits de Rocambole*) : « Je suis obligé de me pincer pour m'assurer que je ne rêve pas. »

Le troisième passager est une femme. Blonde. Elle a des yeux bleus extraordinaires. Elle porte un tailleur Chanel bleu à col de velours noir, et doit être âgée d'une quarantaine d'années.

— Mon Dieu ! soupiré-je, vous êtes sa sœur, n'est-ce pas ?

— La sœur de qui ? demande-t-elle avec une voix rauque qui m'émoustille les abats calfeutrés.

Je me dépose sur le siège contigu et boucle ma ceinture.

— Je me nomme San-Antonio, lui dis-je.

— Et moi July Larsen, répond-elle.

— C'est un nom ravissant et qui vous va parfaitement bien, laissé-je tomber.

Ensuite je lui saisis la main et elle pose sa tête sur ma robuste épaule.

On passe d'une pénombre à l'autre : de celle de l'hélico, à celle de la Rolls-Ross. Y a qu'une fois à l'hôtel, dans le grand hall marmoréen éclairé à Giono, que je peux la contempler intégralement.

Non, ce n'est pas « sa » sœur. Non plus qu'un sosie. C'est mieux que cela : une copie conforme. Le plus ahurissant « plagiat » de nature jamais exécuté. Laquelle a servi de modèle pour « exécuter » l'autre ? *Full of interrogation*. Toujours est-elle qu'un diabolique artiste, roi des studios américains, je gage, a accompli une œuvre d'art. Reproduire un Rembrandt ou un Modigliani, quand t'as le pinceau facile, c'est réalisable. Mais reproduire une Catherine Deneuve ou une Stéphanie de Monaco, en vrai, en viande, voilà une autre paire de manches (à couilles). Un tableau, c'est en deux dimensions, mais un être humain ? D'abord, il a fallu trouver un gabarit identique : même taille, mêmes mensurations, même âge. Et puis se mettre au turf, centimètre carré par centimètre cube. Unifier, remodeler, reproduire les plus menus détails : grains de beauté, carnation, implantation des tifs, épaisseur des lèvres, que sais-je !

July 2 me sourit dans l'ascenseur qui nous hisse au quatrième. Tiens, si je devais noter une infime différence, je dirais qu'on trouve davantage de « chaleur » dans son visage que dans celui de July Ier. Elle semble plus disponible, plus soucieuse de plaire.

Le préposé de l'hôtel nous guide à l'appartement dit « Présidentiel », nous en fait les honneurs : trois pièces, deux salles de bains, une kitchenette. Des bouquets somptueux, des corbeilles de fruits, dont un grand nombre sont exotiques, du champagne dans des seaux d'argent débordant de glaçons.

Je lui vote le pourliche que peut attendre un Anglais en stage dans un merveilleux palace parisien et me hâte de relourder triple tour, avec chaîne de sécurité à l'appui, non sans avoir fixé le « do not disturb » des états de grâce au crochet extérieur.

« A présent, me dis-je, nous allons avoir une explication, le temps en est venu ! »

Il y a du surréalisme dans ce que je vis présentement. Cette première femme qui m'est tombée dessus par la volonté du Vieux et que j'ai dû emmener bouffer dans la meilleure boîte de France… On la troque au retour contre son double qui prétend porter son nom. Usurpation d'identité, non ? Et maintenant, toujours selon le plan prévu, me voici dans une suite ronflante en compagnie de la numéro 2. Dans mon job, on n'est pas surpayés, mais on ne mène pas une vie morose. Chez nous autres, les « spéciaux », les avantages sont en gadgets !

La July *number two* passe dans la chambre et jette son sac à main sur la commode. Après quoi, elle ôte la veste de son tailleur et va l'accrocher à un cintre du dressing.

— Un peu de champagne ? lui proposé-je.

— Croyez-vous que ce soit une bonne chose après ce repas si copieux ?

Elle récapitule :

— La soupe Elysée, le cervelas pistaché, la poularde à la crème, les Saint-Marcellin et la timbale de glace aux fruits rouges, c'est beaucoup pour l'estomac d'une pauvre femme ! Et sans oublier les boissons ! Le

Condrieu blanc, le Côte Rotie, la Chartreuse Verte de cent ans d'âge !

Je méduse. Doute de mes sens ! Tu vas voir que je finirai par oublier la permutation des deux souris. A la fin de la noye (si noye il y a), je finirai par croire que j'ai rêvé la halte de Chalon-sur-Saône.

Je décapote la roteuse et sers à mousse menue. Je lui présente sa flûte. Toast muet. Fameux ! Elle raffole.

Mine de rien, j'enclenche la vidéo. Très vite, ça représente un palais. Une exquise jeune fille blonde mate par un trou de serrure, la polissonne ! Plan subjectif de ce qu'elle guigne : un valet de chambre en tenue enfile une femme de chambre en train d'épousseter une vitrine. Levrette, délices et orgues ! La domestique pâme à tout ventre ; faut dire que le larbin est chibré de première ! Ses assauts sont si ardents que la bonne doit se cramponner à la vitrine et les objets précieux qu'elle contient vibrent, trépident, s'entrechoquent.

La jolie demoiselle, ça l'excite, un tel spectacle. Du coup, elle retrousse sa belle robe blanche par-devant, écarte sa culotte et s'attaque à deux doigts le prélude à l'après-midi d'un faune. On grossit sur l'entrejambe de l'exquise jusqu'à bien dégager son bigornuche. Musique ! Générique : « Les Films Pompemela présentent : *Mémoires du clitoris de la Princesse X*. Avec : Barbara Kelvulve, Jean Fonce-Mombrac, Rita Moniche et Paul Hichinel. Réalisation d'Alban Dankor. » Fin du générique.

Et voilà le professeur de piano de la petite princesse masturbeuse qui se pointe avec ses partitions et sa bite sous le bras. Un vrai faune ! A son regard con, cul et pissant, on entrave d'autor qu'il y a lurette qu'il s'en ressent pour sa jolie élève. De la voir en plein concerto de craquette, ça l'électrise, le facteur des *Lettres à Elise*. Il tombe à genoux et s'avance vers l'adolescente en frétillant de la menteuse comme un fourmilier affamé. Il la contourne, toujours en se déplaçant sur ses rotules. Elle a bien un sursaut en apercevant le pianoteur devant elle, mais il est trop tard : Cézarin est déjà en pleine dégustation. Il lui a saisi le michier à deux mains, l'empêcher de reculer, et il lui bouffe le colifichet comme toi tu te farcirais un énorme clam. La gosseline, t'as beau être princesse, un mec qui te clape la chagatte avec cette impétuosité, tu peux que former le « V » de la victoire avec tes jambons. Le goulu, s'il en profite ! Ah ! le salaud ! Un affamé de la minouche, tu verrais ! Il se repaît, y a pas d'autres mots. Faut le comprendre : une superbe petite princesse bien fraîchouillarde, pour pas lui savourer le mollusque, faudrait être eunuque !

Mais attends ! Tu vas comprendre l'enthousiasme de Pépère pour cette superproduc, c'est pas fini. Ça péripétique en feu dartifesses. Voilà-t-il pas que les doux roucoulements de la chérubine attirent en ces lieux le majordome du palais. Un gros surdécoré à tronche de porc primé. D'abord, il marque du courroux à voir bouffer la fille du roi Gromeluche Ier, monarque craint et donc respecté. Il va exploser, c'est sûr. Pourtant, la volupté du tableau fait lâcher prise à sa colère. Au lieu de tout casser, il pense à tout caser et déballe de sa culotte bouffante un braque comme devaient s'en farcir les femelles mammouths sibériennes, jadis. Lui, il vient enquiller cette batte de baise-bol entre les cuisses de la princesse, ne voulant pas lui défoncer le pot d'échappement Midas par une vraie pénétration en bonnet difforme. Et alors, devine ce qui arrive, Yves ?

Oui, t'as tout compris : en effet, le mandrin au majordome dépasse par-devant et le prof de piano (en réalité, il est prof de clavecin vu qu'on est au XVIIIe) dérouille l'embout féroce ipso facto dans la margoulette. Jusqu'alors il donnait pas dans la redingote flottante, mais l'occase lui révèle ses fantasmes cachés. Pour lors il cesse de fourrager de la menteuse dans la babasse princière pour entonner le chant des partisans au cor des Alpes.

La princesse déconfite enjambe le prof pour le laisser en tête à tête avec la chopine du majordome. Ne lui reste plus qu'à contempler la perfo. Elle exorbite devant le monstre chibre du gros lard. Au bout de peu, n'y tenant plus, elle tire le maître de musique en arrière, par ses longs cheveux de virtuose, pour prendre sa place ; n'importe quelle autre princesse en ferait autant, demande à Lady Di !

Elle souffre de la mâchoire au début, étant donné l'ampleur du sujet, mais Y a bon Banania et la frénésie l'aide à trouver la juste cadence, car tout est harmonie en ce monde. Pour se mettre le tempérament à jour, le petit prof dégauchit son Zénith à lui en sodomisant le majordome dont on peut dire qu'il est comblé. En voilà un qui a bien fait de surviendre pinément.

July 2 suit la progression de la partouze avec amusement, kif ce serait un film des Marx Brothers. On pressent déjà qu'il va se produire d'autres survenances : le grand chambellâtre, la dame de compagnie de la reine, le médecin de la cour, le bouffon à deux bosses du *king*, la favorite, les chambrières, le capitaine de la garde, les hallebardiers. Tout ça grimpe vers des sommets : pyramides de culs, chaînes de bites. On est parti pour des enchevêtrements inextricables, des enculades forcenées, des fellations meurtrières. Ça va devenir la fosse aux singes ! Le bouillon de culs que cause Pivot.

Cela dit, en coït, n'importe ton esprit inventif, le tour du magasin est vite fait. Les combinaisons, pour brillantes que soient certaines, sont relativement peu nombreuses. Quand t'as procédé : au cornichon dans le bocal, à la banane dans le clapotis, au chibraque dans l'œil de bronze, à la broutance sur gazon, aux salsifis tous orifices, à la lichouille cutanée, au « ce que tu dis pas par-devant, fais-le au moins par-derrière », au vibromasseur à pile et à la flagellation style Zorro est tarifé, oui quand t'as butiné à travers ces différentes disciplines, t'as plus qu'à fermer boutique et ta braguette.

Tout coït se termine obligatoirement par une émission séminale de force variable (suivant l'âge et la nature de l'intéressé) sur l'échelle de Richter. On n'encourage pas suffisamment l'onanisme dans les écoles. Le gonzier qui se pelucherait toute sa vie s'épargnerait bien des tourments et désagréments. S'engendrer est une manœuvre à haut risque, et la pire atteinte que tu puisses porter contre l'humanité, c'est de la perpétuer.

Mes prévisions se confirment : la partouzette tourne à l'orgie romaine. Ma compagne réprime un bâillement, nonobstant l'« hardeur » du film.

Elle soupire :

— Et après ?

— Pardon ? fais-je en écho.

Elle s'explique :

— Je trouve ce genre de divertissement stupide quand il cesse de m'amuser. Or, le sexe est une chose bien trop grave et sacrée pour qu'on en puisse rire. Tous ces gros plans de sexes masculins introduits dans des bouches ou des sexes féminins ont un caractère clinique qui désoblige ma conception de l'amour. Selon moi, de même qu'un livre est écrit pour une seule personne, quand bien même il atteint d'énormes tirages, un accouplement n'en intéresse que deux et c'est ce qui lui donne tout son prix. A partir du moment où de basses passions débordent dans le stupre, elles déshonorent l'acte et deviennent écœurantes. Ces comédiens de l'amour ont beau payer de leurs tristes personnes, ce ne sont que des fantoches roulés dans le blanc d'œuf !

Dis, pas conne, la Norvégienne. Mais l'est-elle celle-ci, norvégienne ?

Je coupe la vidéo et vais m'asseoir sur le large accoudoir de son fauteuil.

— J'aime votre façon de voir les choses, July. Pour parler net, je vous préfère à la dame qui a interprété votre rôle dans la première partie.

— Que voulez-vous dire ?

Là, je commence à perdre un tantisoit patience.

— Ecoutez, ma chérie, tout comme vous manifestez une aversion justifiée pour la pornographie, moi je hais le mensonge. Quand on m'embarque dans un coup fourré aussi monumental, j'essaie de tenir le choc et de ronger mon frein pendant un bon moment, et puis, que voulez-vous, je craque. Alors vous allez jouer cartes sur table sinon, malgré l'agrément que me procure votre compagnie, je fous le camp comme un malpropre. Me fais-je-t-il bien comprendre ? comme le dit un gros ami à moi ?

Elle reste très sérieuse, presque méditative. Son regard est profond, attentif.

— Je n'ai pas le droit de parler pour l'instant, mur-

mure July 2. En tout cas, je ne le ferai pas sans en avoir
reçu l'autorisation.

Elle consulte sa montre.

— Il me sera possible de téléphoner dans quatre-
vingt-dix minutes. Voulez-vous que nous fassions
l'amour, en attendant ?

C'est offert de bon cœur. Cette fille est nette, loyale.
Elle ajoute en désignant l'écran mort de la TV :

— Ne serait-ce que pour chasser ces pénibles images
de notre esprit ?

— Voilà une merveilleuse proposition ! déclaré-je.
Et qui s'arrose !

Je sers une nouvelle tournanche de Dom Pérignon.
Je ne sais pas si, comme l'a mentionné le Dabe, il
contient de l'extrait de cantharide, sache en tout cas,
mon gamin, que je commence à me payer une rapière
en comparaison de laquelle celle de Du Guesclin n'était
qu'un cure-dents.

Nos coupes revidées, nous gagnons la chambre.

Y a toujours un petit moment bête et gênant dans
ces circonstances, c'est le décarpillage. Quand le mec
et sa partenaire posent leurs harnais. Le double dessa-
page a un côté cru qui me met mal à l'aise. Je préfère
tellement désabouler la dame à petits gestes maladroits.
Qu'elle t'aide en loucedé, c'est de bonne guerre, mais
l'initiative t'appartient. Que tu t'énerves sur les foutus
crochets de merde du soutien-loloches et qu'elle te vole
au secours, exécutant d'un bref mouvement arrière, et
sans voir, ce que toi tu ne parviens pas à accomplir par-
devant, avec le pif à dix centimètres de la fermeture,
d'accord, c'est dans la tradition. Mais qu'à peine à pied
d'œuvre elle se défringue à une allure supersonique,

voilà qui me paralyserait si je ne jouais déjà au porte-drapeau avec Coquette. Elle va avoir droit au régiment qui passe, la fausse ou vraie July !

Moi, déjà à loilpé, je la cueille par la taille, alors qu'elle achève de se débarrasser de son slip accroché au bout de son peton. J'aime bien alpaguer une frangine par-derrière. La serrer fort. Epouser ses creux. Et puis décarrer dans les langoures, la sinistre montant de sa taille à un sein, la droite, au contraire, descendant de la taille au pubis. Et puis Popaul-le-hardi, cet impétueux, qui se glisse dans son terrier comme un renard débusquant une taupe. Et les menottes frivoles escriment, s'agitent, caressent, l'une le mamelon (non, j'ajouterai pas : de Cavaillon), l'autre l'ergot de coq.

Calmos, tu as tout ton temps. Cause ! Dis-lui des folies. N'importe lesquelles, elle est preneuse, et à déclarations faites dans de telles circonstances, tu ne regardes pas la syntaxe. Dis-lui que c'est elle que t'attendais depuis toujours, sans le savoir ; qu'elle est la plus belle que t'as jamais rencontrée ; que son odeur de femme te rend fou ; que la tiédeur de sa peau te mettra toujours en érection ; que tu la désires au point qu'avant cet instant tu ignorais ce qu'était le désir ; que sa chatte est une coupe emplie des plus rares délices (et si t'emploies un autre adjectif que « rare », n'oublie pas de le mettre au féminin puisque délices est au pluriel) ; que tu vas la pénétrer suavement, avec une lenteur extrême, bien qu'elle ait le loisir de constater la présence de ta tête de nœud dans son tiroir-caisse ; que tu l'aimeras jusqu'à la fin du monde (c'est pas vrai, mais elles raffolent de cette formule) ; que tu voudrais passer le reste de tes jours assis en tailleur devant ses jambes écartées.

Et si tu es en verve, ajoute des trucs à toi, à condition qu'ils soient pas trop cons, mais ça me laisse perplexe, alors tiens-t'en aux miens, pas risquer de tout foutre par terre.

La Juju, au bout de pas longtemps, elle me râle contre. J'ai pas le temps d'ouvrir le pageot en plein, on s'abat sur la courtepointe (la mienne ne l'est pas). Je lui vote d'autor l'incontournable tyrolienne de crinière, prémice sacré auquel nul amant digne de ce nom n'échappe. Ça, ça les met en joie, espère ! Pas du temps perdu. Après une bonne séance de vocalises, tu peux remiser ton pot de vaseline. L'impétrant empétarde. Le happé des profondeurs, comme je dis puis volontiers. Voluptas, voluptas.

Hein ? Comment ? Tu me parles ? Non ? C'est quoi alors, ce bruit ? Qu'est-ce que tu dis ? Le téléphone ! Mais c'est pas possible une couillerie pareille ! Mais je l'encule, Graham Bell, moi ! Mais je lui ai jamais rien demandé à ce nœud ! Et puis d'abord, il est où, l'appareil qui vient me casser la bite en plein orgasme ? Regarde mon pauvre bijou : déjà la larme à l'œil ! Au moment qu'il allait éclater en sanglots libérateurs. Quelle pitié ! Et la dame, dis ? Tu la vois se tordre sur le grand plumard en cent quatre-vingts de large ? La façon qu'elle gémit en se trifouillant la moulasse ! Ces inarticulances qu'elle pousse, la pauvrette !

La sonnerie me guide, je trouve le biniou sur une table de chevet, naturellement. Oh ! comme je hais ce bloc d'ébonite et le salaud qui l'utilise. Je décroche cependant.

— Quoi oi oi ? hurlé-je.

Alors là, le fin du fin, le comble du comble : la voix de Pinaud :

— C'est toi, Antoine ?

Vieille breloque ! Vieille merde moisie ! Détritus ! Me demander si je suis moi ! A moi ! A moi qui brandis une queue tellement gonflée que si on l'accrochait dans une charcuterie lyonnaise on la prendrait pour un « jésus ». Demander s'il est lui au mec qui est en train de conduire une superbe créature à l'orgasme par les chemins lubrifiés de l'amour le plus ardent ! Baderne ! Fripes raidies de crasse ! Ongulé dévoyé ! Mammifère en partance ! Bougre de trop-vieux !

— C'est moi comme tu ne peux pas savoir ! riposté-je.

Il se gaffe soudain de la situation, car il demande paisiblement :

— Tu étais en train de bien faire, me semble-t-il ?

— Gagné ! Tu t'en vas avec tes trois mille francs ou tu viens les remettre en jeu demain ?

— Je suis navré de t'importuner dans un moment de félicité, mon grand, mais c'est très grave.

— Je t'écoute ?

— Jérémie et Violette ont été enlevés !

La douche froide !

Je fais comme la glace de la coiffeuse[1]. Bon, ils ont été enlevés, n'est-ce pas ce que nous espérions ?

— Que dit son bip ?

— On l'a retrouvé dans une boîte aux lettres.

— Où es-tu ?

— A la maison mère. On t'attend pour prendre une décision.

---

1. San-Antonio entend par là qu'il réfléchit.

— J'arrive.

Supplice de Tantale.

Ce magnifique corps de femme offert, que dis-je : ouvert ! et dont je jouais en virtuose, il me faut l'abandonner. « France, hors le devoir, hélas, j'oublierai tout ! »

Je donne un baiser à chacun de ses seins, passe une langue gobeuse sur son mutin clito.

— Je reviendrai dans le courant de la nuit, ma July d'amour, mon enchanteresse, et nous reprendrons cette suave conversation à l'endroit précis où nous la laissons.

Comme pour signer un pacte secret, je coule un médius droit pétant de santé, ainsi que le plus agile des index, dans son nid à bonheur. Et puis je me tire ailleurs, comme un Sénégalais[1].

Veillée funeste ! Voire funèbre. Mathias, Pinaud, Mizinsky sont assis dans le burlingue sacramental d'Achille. Ils se trouvent en arc de cercle, section visiteur, respectant l'illustre place inoccupée. Quelque chose d'impressionnant, de quasi formidable se dégage du siège vide dont le cuir couleur bronze luit doucement à la lumière des lampes. Certaines absences sont magistrales et plus fortes que beaucoup de présences.

Lorsque De Gaulle quittait son fauteuil, son aura y restait assise en majesté. Quand le président Coty se

---

1. Celle-là, elle figure dans l'*Almanach Vermot* 1928 que j'ai retrouvé au grenier ; mais elle demeure excellente pour ceux qui se rappellent les courageux « tirailleurs sénégalais » de la guerre de 14, engagés volontaires (c'était la France qui avait eu la volonté de les engager).

levait du sien, y avait plus qu'un fauteuil vide. Il m'est arrivé de traverser une salle de conférences déserte : je la trouvais beaucoup plus intimidante que quand elle était peuplée. Marquer son territoire, c'est ne pas avoir besoin d'être physiquement là pour être présent. J'ai, dans mon univers privé, quelques présences indélébiles d'êtres qui sont morts ou lointains. Pas beaucoup : disons une demi-douzaine. Et ceux-là m'accompagnent silencieusement, me sourient ou hochent la tête selon que j'agis positivement ou négativement. C'est ma bande de fantômes. On peut être fantôme de son vivant. Lorsque je joins les vifs de mon étrange « équipe », ils perdent automatiquement leur statut de fantôme pour se remettre à exister « normalement ».

Mais je te bonnis des choses dont t'as rien à cirer, comme disait la cressonnière. Tu te dis : « le grand s'écoute penser ; il fait une surdose de phosphore et devrait consulter ». T'as raison : c'est pour me sentir moins seul. Je me fais penser au mec qui se frappe le buste de ses bras pour se réchauffer.

Ils sont penauds, les trois. Mutismeurs farouches. Mon arrivée les ébroue. Je les salue façon toréador offrant la mort de son taureau au public et vais me déposer dans l'illustre fauteuil dont il a été allusionné ci-dessus.

— Décidément, attaqué-je, le paf encore animé de belles intentions, ça cacate mochement dans votre secteur, les gars ! Le nazi Meximieux qui s'échappe et se fait rétamer, maintenant Blanc et Violette qu'on kidnappe ; beau tableautin de chasse ! Qui était de « quart » lorsque nos copains ont été alpagués ?

— Moi, avoue César avec courage.

— Raconte.

— Ils venaient de se faire une séance de pelotage dans un café et se sont rendus à l'*Hôtel du Roi Jules* pour y assumer leurs pseudo-amours. Je me trouvais à l'arrière de ma Rolls avec l'appareil récepteur. L'ancien brigadier Vairdepeurs, à la retraite, me servant de chauffeur. Lui faisait son tiercé quinté plus. Mon récepteur me rendait compte des agissements du couple. Au passage, j'ai le devoir de t'informer, Antoine, que leurs tribulations amoureuses paraissaient bien réelles, Violette criant à tue-tête qu'il n'y avait rien de meilleur que cette grosse bite noire.

— Passe-nous les détails, César, on bandera plus tard.

— Alors que le sommier grinçait à fendre l'âme, on a frappé à la porte.

« — Qu'est-ce que c'est ? » a crié Jérémie.

« On n'a pas répondu, mais la porte s'est ouverte. Blanc a dit alors :

« — Oh ! c'est vous ! Vous pourriez tout de même attendre que je vous dise d'entrer. »

« Je ne percevais aucune parole de son interlocuteur. Celui-ci devait s'exprimer par signes car Jérémie a murmuré :

« — Attendez, je vais l'inverser sur le « bip ». »

« Du coup son appareil a cessé d'émettre les paroles et les bruits pour seulement faire entendre son signal sonore. »

— Et alors ?

Ces sempiternels deux mots, fer de lance de toute curiosité en exercice ! « Et alors ? »

— Au bout d'un moment, le « bip-bip » s'est déplacé. J'ai cru que Jérémie partait. Je me suis approché de l'hôtel, mais il avait dû sortir par une porte de derrière. Alors j'ai serré la fréquence au maximum pour rejoindre notre ami. Cette manœuvre nous a amenés devant une boîte aux lettres et j'ai compris qu'on avait glissé l'appareil dans ladite boîte et que Jérémie avait disparu.

— Qu'as-tu fait ?

— J'ai alerté Mathias et Mizinsky. Celui-ci m'a rejoint à l'hôtel où, à notre requête, un vieux veilleur de nuit nous a conduits à la chambre de nos amis. Bien entendu, elle était vide et il n'y avait aucune trace de lutte. Le type interrogé a déclaré qu'aucune personne n'était entrée à l'hôtel après Jérémie et Violette et que personne ne l'avait quitté.

— Explication du phénomène, Jean-Paul ? demandé-je à mon jeune confrère.

— Le bonhomme dont parle Pinaud est à moitié écroulé. Il porte un appareil acoustique qu'il doit poser pour s'étendre sur le lit de fer pliant aménagé dans une sorte d'office contigu à la réception. Il doit compter, pour se réveiller, sur la sonnette de nuit particulièrement stridente.

— Donc, il ne se serait pas rendu compte des allées et venues ?

— Je le présume.

Je regarde ces trois frimes tenaillées par la fatigue et le sommeil.

— Quelles paroles exactes Jérémie a-t-il prononcées quand quelqu'un est entré dans la chambre ?

Le vétuste tire sur un long poil gris en train de pousser sur son nez et l'arrache. Dommage, il était beau. Il répète :

— Il s'est exclamé : « Oh ! c'est vous ! » Et il a ajouté

sur un ton mécontent : « Vous pourriez tout de même attendre que je vous dise d'entrer ! »

— Donc il connaissait l'intrus.

— Sans aucun doute.

— Et il ne le redoutait pas puisqu'il lui reprochait de l'avoir surpris en plein coït. Ensuite, tu as eu l'impression que l'arrivant le priait, par gestes, de couper le contact de son émetteur ?

— Fatalement, puisque Blanc a dit : « Attendez, je vais l'inverser sur le bip. »

Je caresse le sous-main du Vieux, en cuir de Cordoba. Le grain en est extrêmement fin et ça ressemble à de la peau de femme vers le haut de la cuisse.

— En résumé, le couple a été surpris par une personne de connaissance qui était au courant de l'équipement phonique de Blanc et qui possédait une certaine autorité sur lui, vu qu'il lui a intimé d'en interrompre le fonctionnement.

Mathias qui la ferme à double tour depuis mon arrivée ajoute :

— Il connaît l'arrivant, mais il le vouvoie.

Manière de ne pas être en reste, Mizinsky ajoute :

— Il le vouvoie, mais n'est pas déférent car il lui reproche d'être entré sans attendre qu'on l'y invite.

Je ramasse le crachoir et enchaîne :

— Relation professionnelle, à preuve : le mec qui survient est au courant du port du bip-bip et Jérémie trouve normal qu'il soit informé de la chose puisqu'il dit qu'il va couper l'émission.

— C'est porteur, balbutie Pinuche dont le menton touche déjà la cravate.

Effectivement, sa respiration bascule aussitôt après

cette énigmatique affirmation et le vieux bébé déchiqueté s'endort.

— Nous nous sommes fait niquer comme des bleu-sailles, soupire Mizinski.

— César! hélé-je d'une voix vigoureuse.

Le Fossile laisse tomber son chapeau de ses genoux ainsi que son mégot de ses lèvres.

— C'est à propos de quoi? bavoche l'Ancêtre.

— Dis-moi, Momifié, était-ce la première fois que Jérémie et Violette allaient copuler à l'*Hôtel du Roi Jules*?

— Oh! non. Je ne sais pas s'ils « honoraient » chaque fois leur chambre, mais c'était la quatrième.

— Putain, il chômait pas du bistougnet le Négus! Cela dit, ils se sont donc bien fait remarquer dans cet établissement conçu pour soulager les douleurs!

— D'autant plus qu'ils faisaient un vrai cinéma avant d'y entrer: s'embrassant à pleine bouche, entremêlant leurs jambes, se palpant les parties intimes, tu vois le topo?

— Ils jouaient leur partition, quoi! tranché-je.

Je me dresse et marche à pas mesurés dans le vaste burlingue directorial. Il conserve encore un je-ne-sais-quoi de sanctuarisé, et, cependant, la présence du Vieux s'estompe. Ça me fait comme si j'avais le pressentiment qu'il ne reviendra jamais dans cette pièce, point de départ de tant et tant d'aventures! Une musiquette rouillée retentit dans mes dépendances subconscientes. Le petit air déchirant de la nostalge… Je pressens qu'une page importante est en train de se tourner.

— Mes enfants, dis-je après un long soupir, allez donc vous coucher: demain il fera jour.

— Et nos deux collègues ? demande Mizinsky avec un soupçon de reproche.

Je hausse les épaules.

— S'ils ont été abattus, il est trop tard. S'ils vivent encore, on les retrouvera demain. Cette nuit, c'est ta nouvelle lune, et il est impossible de distinguer un Noir dans le noir ! Salut !

Je repars.

Tiens, je boirais volontiers un coup de raide pour m'armaturer le mental en pleine flancherie.

D'un pas incontrôlé je me rends à la brasserie de la Poule où mes collègues vont choucrouter en se prenant pour Maigret. Quelques figures amies me hèlent, mais je leur fais signe que j'ai école. Marrant : y a trois plombes, je me trouvais encore au milieu des cristaux et des empesures de Bocuse avec July I, il y a une heure, j'enfilais grand veneur July 2, dans une suite du *Royal Chambord*. Et puis me voici seul, épouvanté par ce qui arrive à Mister Blanc.

— Qu'est-ce que ce sera, commissaire ? s'enquiert Alfred, un vieux loufiat à favoris-pattes de lapin.

— Prends un verre à bock, fais-je, laisse tomber dedans deux gros glaçons et remplis ce qui restera d'espace de Campan.

— Ah ! si c'est un soin ! ricane le garçon.

Je fonce jusqu'au téléphone pour chercher l'*Hôtel du Roi Jules* dans l'annuaire. L'établissement se trouve dans une petite rue qui traverse l'avenue Mozart. Je me rappelle soudain y avoir tiré une vendeuse de chaussures qui se prénommait Lucia. Juste avant la fermeture de son magasin, je lui avais acheté une paire de mocassins qui me faisaient de l'œil dans la vitrine.

Elle m'avait dit « Vous serez là-dedans comme dans des pantoufles. »

Y avait un trou à ses collants, pile à l'endroit du frifri, et je pouvais apercevoir son adorable slip rose. Du coup je la chambre à mort. Une brunette coiffée Mireille Mathieu. Ça biche. Soixante-dix minutes plus tard, on franchissait le porche du *Roi Jules*. Pas mémorable comme coup de bite : gentillet, sans plus. La troussée aimable entre gens qui ne se reverront plus.

Elle essayait de participer, depuis le temps qu'on lui serinait Coubertin, mais le cœur n'y était pas et le cul encore moins. T'as plein de mousmés qui veulent se donner l'air d'avoir l'air, mais qui en réalité préféreraient suivre des cours d'arts ménagers plutôt que de lichouiller une tête de zob en réprimant des spasmes, manière de faire croire à son tombeur qu'elle est initiée à toutes les combines de la chair.

La vendeuse de targettes, pour dire la vérité, on a été soulagés de se quitter. Moi, découiller dans ces conditions, j'aime mieux aller au cinéma ou au restaurant chinois. Faut dire que je suis un enfant gâté. Je tire de la pouliche de race, de l'experte aux initiatives poussées. Ou alors, il me faut de la frémissante maladroite mais qui en veut. Une qui a l'instinct du radada, comprends-tu ? Qui fait miches de tout bois. De la sensorielle, quoi, avec laquelle tu crains pas de rester en rideau et qu'aime se faire émoudre l'escalope.

Je liquide mon grand godet de Campari. J'adore le doux-amer : les deux pôles du goût. Illico, c'est le coup de fouet magique. Me voilà reparti au volant de ma blanche 500 SL.

Je trouve de quoi la remiser à cinquante mètres de l'hôtel. M'y pointe dans un silence nocturne de quartier bourgeois. Au moment de carillonner, je me ravise et utilise mon sésame pour ouvrir la lourde. Serrure sans complication, style vieille France. Quand elle est née, y avait presque pas de cambriolages. Bien qu'étant venu céans une seule fois, pour y tirer une guêtre expresse, je reconnais fort bien les lieux : la double entrée (la seconde est vitrée), puis le minuscule hall (un hall qualifie une vaste entrée, mais cet espace mesuré donne une impression de grandeur, grâce à un jeu de glaces astucieux). La banque classique devant le tableau des clés.

Une lumière pauvre en watts éclaire chichement les lieux. Suffisamment toutefois pour que je puisse trouver le livre de bord du *Roi Jules* et le compulser. Sache, pour ton gouvernement, comme dit ce salaud de Bérurier, que les hôtels de passes des beaux quartiers sont souvent à double vocation. Tu as un étage ou deux réservé(s) aux couples de passage, et le reste qui fonctionne comme un établissement normal. Cette partie est donc assujettie aux lois régissant l'hôtellerie et les clients sont normalement inscrits sur le registre.

Voilà donc Messire Mézigue occupé à étudier les récentes arrivées, c'est-à-dire celles qui ne sont pas antérieures à une trentaine d'heures. Elles figurent au nombre de trois. Un couple : M. Jérôme Pithivier, de Caen, et un homme seul : M. Alain Provist, de Fontainebleau. On leur a attribué respectivement le 38 et le 42. La clé du 42, c'est-à-dire celle du monsieur seul est au tableau, ce qui indiquerait qu'il n'est pas rentré. Je la décroche sans barguigner et, négligeant un ascenseur hydraulique dont je prévois qu'il est lent, bruyant et poussif, m'élance cinq à cinq dans l'escalier revêtu d'une honnête moquette.

Je suis quelque peu essoufflé en atteignant le quatrième étage. Une douillette odeur d'encaustique et de linge propre m'y accueille. On sent le petit hôtel bien tenu, familial malgré les rapides et passagères étreintes qui se perpètrent aux étages du bas.

La chambre 42 se trouve au début du couloir. J'y pénètre, actionne l'électrac et m'adosse à la porte refermée. Je suis très sensible aux premiers contacts. Une pièce, c'est un peu comme un visage : tu le trouves sympa ou non et, d'un regard, tu en perçois les anomalies. Je fais donc sa connaissance d'une œillée lente mais rigoureuse. Décor banal correspondant à ce qu'on attend : un lit de bois « ouvragé », une table de chevet supportant une lampe de cuivre fabriquée avec un vieux bougeoir. Une table, une chaise, un fauteuil, une armoire et un renfoncement équipé d'un lavabo et d'un bidet mobile. Papier à motifs : pampres de vigne avec raisins noirs. Un tapis « éliminé » (Béru dixit). L'ensemble est fonctionnel, propre et d'une désespérance à en pisser dans son froc pour se tenir compagnie.

Cela pue le tabac fumé. Effectivement, il y a un tas de mégots haut comme ça dans le cendrier. Des journaux et magazines jonchent le sol autour du lit ; ce dernier n'a pas été défait, simplement on a arraché l'oreiller de sous la courtepointe pour en faire un dosseret contre la tête du plumard. On lit sur le pucier la trace d'un homme ayant séjourné là. Un pack de six Coca est ouvert sur le pieu, dont quatre boîtes ont été bues avant qu'on les lance à travers la chambre.

Ayant enregistré toutes ces choses, je vais jusqu'à l'armoire. Elle est vide. Au coin lavabo, nulle trace d'un séjour ; visiblement, le client du 42 n'est pas descendu au *Roi Jules* pour se laver. La savonnette mise à la disposition de l'usager est encore dans son emballage. Je vais ouvrir le tiroir de la table de chevet et j'y déniche des emballages de chewing-gum Hollywood. Si le client compte sur la gum pour s'empêcher de fumer, c'est loupé.

Sur la table, l'est quelques feuilles de papier à lettres au nom de l'établissement. Je cramponne une enveloppe dans laquelle je dépose quelques-uns des mégots et des emballages d'Hollywood. Au lavabo, fixés à un crochet, pendent plusieurs sacs de plastique à l'usage des dames en panne des sens. J'en arrache un et je le retourne ; l'utilisant comme un gant, je récupère deux boîtes vides de Coca. Après quoi, sans lâcher les boîtes, je le remets dans le bon sens. Tout cela est peut-être superflu, mais j'ai appris à obéir à mes instincts professionnels.

Par acquit de conscience, je me fous à quatre pattes pour regarder sous le lit ; bien m'en prend car j'aperçois une petite boule d'étoffe grise. J'allonge la main sous le sommier et ramène le trophée.

C'en est un !

Une exquise petite culotte de femme bordée de dentelle.

Je la roule serrée et la glisse dans ma poche. Délicat mouchoir, qui, pour une fois, n'est pas parfumé à l'Eau de Cédrat.

CHAT CLOWN 7

De retour au volant de mon bolide blanc, j'éprouve un sérieux coup de pompe. Faut dire qu'il est tard et que j'ai vécu à cent à l'heure les événements livrés à ta sage réflexion. Ajoute à cela le superbe repas pris chez Bocuse et la bouillave interrompue (dur à supporter pour le système nerveux), plus l'angoisse où me plonge la disparition de mes deux inspecteurs, et tu mesureras l'étendue de mon épuisement.

Je m'offre un moment de flou, la nuque posée sur l'appui-tête de mon siège, le regard perdu dans la toile bleue de la capote.

Que fais-je? Je porte ma provende au labo? A quoi bon? Mathias est rentré se zoner et les locaux sont aussi vides que les caisses de la Sécu. Regagner la maison et me filer d'urgence dans les torchons? C'est pour ma pomme la solution la plus attrayante; mais je songe à July 2 qui m'attend au *Royal Chambord*, les jambes ouvertes au risque d'attraper un orgelet à la chatte, et qui doit se faire vieille. C'est là-bas que m'appellent mon devoir de mâle et mon devoir de flic, le Vieux m'ayant assigné comme mission de passer la nuit avec elle dans la suite de ce luxueux palace.

Pas de tergiversations : je retourne finir la jolie dame. Le *signor* Bandalez joue les limaçons dans mon joli calcif à fleurettes roses, mais je ne me fais pas de souci pour lui : je sais qu'il redeviendra opérationnel à la première caresse de la merveilleuse. C'est un ténor qui retrouve sa voix en entendant jouer le prélude de la *Traviata*.

Alors je me rends au palace. Dans la nuit épaissie de brume, ses loupiotes semblent pâlottes. Il fait château des mystères. Tu ne le croirais plus en plein Pantruche, mais à l'extrémité d'une lande. Je plombe ma tire dans la contre-allée et fais un clin d'œil au préposé arabe que son uniforme raide garde debout, mais qui, sans lui, s'allongerait sur l'immense paillasson. Je file un léger coup de sonnette à la porte de notre suite, juste au moment où j'avise la pancarte « *Do not disturb* » que la belle July a laissée accrochée. Je me dis que je suis inhumain de l'obliger à se lever dans son premier sommeil, aussi employé-je mon sésame pour entrer. Afin de ne pas l'éveiller en me dessapant, je procède à mon décarpillage au salon. Nu comme un ver, je me faufile dans le temple des voluptés.

Les lumières de l'avenue filtrent légèros dans la pièce, suffisamment pour me découvrir July endormie. Ravissante vision. Ses cheveux lui composent une auréole sur l'oreiller. Elle est abandonnée en chienne de fusil et sa main droite, crispée en poing, paraît soutenir son menton. Très joli tableau, qu'on ne se lasse pas de contempler. J'hésite pourtant à promener le front de mon chibre sur sa bouche pour la réveiller délicatement, mais je suis si fatigué que j'y renonce. Après tout, ce sera meilleur au petit matin, dans la moiteur des draps. Nos corps referont surface à l'unisson et, prenant conscience l'un de l'autre, repartiront comme dans une nacelle à la conquête du plaisir (celle-là, faudra que je l'envoie à Françoise Sagan, qu'elle la mette dans un vrai livre).

Alors, en faisant le minimum de bruit, je me coule sous les draps et joins mes jambes repliées sous ses fesses exquises. Elle ne réagit pas. O.K., dormons !

La sonnerie du biniou. Serait-ce de nouveau Pinaud ? Non, la voix aimable de la standardiste m'annonce simplement qu'il est huit heures trente. July avait programmé son réveil avant de s'endormir. Je remercie chaleureusement la préposée pour cette excellente nouvelle et me livre à une reprise en main de ma personne. Putain, tout ce qui m'attend en fait de boulot !

Je décide de m'accorder encore dix minutes de répit avant d'affronter les merdouilles de la journée. Faut toujours se dorloter quand on le peut, sinon qui le fera à votre place ? Je me dis qu'une belle empétardée matinale m'éclaircirait l'esprit. Alors je glisse ma dextre avide sur la cuisse de July 2. Vivement, je la retire. Tu sais quoi ? Elle est froide ! Et tu sais re-quoi ? Elle est raide. Du bois ! Et pas de celui dont on fait les pipes !

J'évacue le plumard à la vitesse d'un lavement incontenable. Arrache drap et caroubles. La gerce est nue et un énorme coutelas de boucher est enfoncé entre ses omoplates. Beaucoup de sang a coulé de son dos. Elle était assassinée lorsque je suis rentré. J'ai dormi avec une morte que mon subconscient prévoyait de baiser à mon réveil !

A cet instant on toque à la porte et une clé se met à

farfouiller la serrure. Vite je recouvre la morte jusqu'au menton.

C'est un garçon d'étage qui apporte le petit déje de July 2 : un thé de Ceylan avec des rôties croustillantes et du beurre.

Je lui attrique un pourliche de palace et il se retire en arc de cercle en me souhaitant « une bonne journée » ! Bonne journée ! Voilà qui est marrant à pleurer ! Bonne journée au gonzier qui a une femme assassinée sur les bras (femme qu'il a pilotée jusqu'à cette suite et sabrée, et qui reçoit le loufiat devant son cadavre en ayant l'air naturel !). Bonne journée à un commissaire d'infortune dont deux des plus précieux auxiliaires ont été enlevés (et probablement trucidés) !

Je pare au plus pressé, à savoir que je m'offre le thé de la morte. J'aime pas les tisanes, mais j'ai besoin d'absorber un truc chaud afin de colmater mes brèches les plus criardes. Pas s'affoler. Bien contrôler ce sac de nœuds pour pas qu'il dégénère.

Avant tout, informer le Vieux de la tournure des événements. Je compose son turlu et la sonnerie bourgeoise se met à trémoler dans son hôtel particulier. Je laisse sonner seize fois et je raccroche au moment exact où on répondait enfin. Du coup je réitère mon appel. Le correspondant n'a pas eu le temps d'aller loin car il dégoupille au troisième drelin.

— Nous écoutons ! m'assure une voix britannique et gourmée.

— Oh ! c'est vous, Ross ! Passez-moi Monsieur d'urgence.

Le larbin rétorque :

— La chose m'est impossible, monsieur le commissaire. L'état de Monsieur s'est aggravé cette nuit et il a dû être admis d'urgence en clinique.

Merde ! Tu vas voir qu'il va nous tirer un bras d'honneur, Chilou, et filer dare-dare chez le Barbu !

— Quelle clinique, Ross ?

— Je l'ignore, monsieur le commissaire : secret défense.

— Mais enfin, putain de merde, il doit bien y avoir un moyen de le joindre quand il s'agit d'un événement gravissime !

— Non, monsieur le commissaire ! assure péremptoirement le valet.

Moi, instantanément, il me vient des touffes d'orties à la place des poils du cul. Je me dis à toute volée : « Oh ! misère de moi : il est mort ! Pour des raisons que j'entrevois mal on recule l'annonce de son décès, mais ça y est, Pépère a largué les amarres ! » Ma gorge se noue. Je me sens infiniment creux, fétide de partout.

— Merci, Ross, je crois que j'ai compris.

Je raccroche. Mon toast détrempé flotte à la surface de ma tasse, s'élargit au point de la combler.

J'écarte ma chaise de la table, mets mes coudes sur mes genoux et biche mon front à deux mains. Une rafale de passé fait trépider ma mémoire. Mille images du Vieux se succèdent : son crâne poli, ses manchettes immaculées, sa rosette sur canapé, son œil glacial, son appétit sexuel quand il « entreprenait » une Mlle Zouzou dans son burlingue soudain mué en alcôve. Sa voix cinglante, ses redondances dindonesques et, en société, ses gestes de prélat bénisseur et tasteur de chattes.

Pourquoi a-t-il insisté pour que je m'installe dans

son bureau, lui qui tenait tant à sa « salle du trône » où il se comportait en monarque ?

Je hale le biniou jusqu'à moi car il est muni d'un interminable fil qui permet de l'emmener promener à la campagne. C'est Mathias que je sonne, cette fois. Et il est déjà à pied d'œuvre, le chéri.

— J'arrive à la seconde ! m'annonce-t-il.

Il paraît content, bien dans sa peau de rouquin.

— Du nouveau, Antoine ? ajoute-t-il.

Il passera le restant de ses jours à se gargariser de mon prénom et du tutoiement auquel je l'ai autorisé.

— Oui, dans le genre Berezina. Figure-toi que j'ai une fille morte sur les bras dans la suite présidentielle du *Royal Chambord*. Il faut absolument que nous l'évacuions sans tambour ni trompette.

Sans presque hésiter, il déclare :

— J'arrive : je suis le docteur Xavier Mathias, appelé par toi. La dame a eu un malaise. Je réclame son hospitalisation. Une ambulance affrétée par mes soins arrivera vingt minutes après moi. Monte-charge, sortie des fournisseurs. On l'embarque à la morgue de l'hôpital Bonebourg dont le directeur est mon cousin germain. Elle sera inscrite sous la rubrique « Trouvée sans identité sur la voie publique ». Ça te convient comme programme ?

— Je t'aime ! dis-je en guise de réponse.

Trouvée sans identité…

Je pars à la recherche de son sac à main. Impossible de mettre la pogne dessus. Et cependant je suis certain qu'elle en avait un en arrivant ici. Un sac-pochette bleu taillé dans un drôle de cuir, peut-être de la peau de requin. Je la revois le jetant négligemment sur la commode de la chambre. Ce qui a griffé mon attention c'est que, par un effet du hasard, souvent farceur, le réticule est tombé verticalement et qu'il est demeuré droit. Mais j'ai beau visiter les trois pièces de la suite, ses deux salles de bains, son immense dressing, je ne le retrouve pas. Force m'est d'admettre que l'assassin de July 2 s'en est emparé.

— Le docteur est en bas, monsieur, m'avertit le concierge.

— Dites-lui de monter.

Au bout de trois minutes, le salon paraît s'éclairer car Mathias entre, la tignasse flamboyante.

Je lui résume l'aventure, depuis la venue de July 1 jusqu'au cadavre de July 2.

— Maintenant, à toi de jouer, mon fils : je n'ai touché à rien, c'est tout bon.

On le fit entrer dans une salle basse et voûtée qu'éclairaient plus ou moins des bougies fichées dans des goulots de bouteilles. Lorsqu'une bougie avait presque complètement fondu, on en plantait une nouvelle sur sa flamme vacillante et les flacons-bougeoirs, crépis de coulées de cire, évoquaient ceux de certains petits restaurants de l'île Saint-Louis, aménagés dans des caves, où des chandelles et de la musique de Vivaldi créent à peu de frais une ambiance « raffinée ».

Une grande table barrait la salle. Des chaises de bistrot étaient réservées à un auditoire, absent pour le moment.

Derrière la table se tenait un homme masqué d'un

loup de velours noir et coiffé d'un chapeau de feutre de rapin à large bord. Il portait des gants de pécari.

Il écrivait lorsque deux types vêtus chacun d'un jean et d'un blouson firent entrer le visiteur.

L'homme masqué acheva la phrase qu'il rédigeait avec un soin extrême pour s'intéresser à l'arrivant. Son examen le laissa indécis.

— Ainsi, vous souhaitez être des nôtres ? demanda-t-il soudain.

— Affirmatif ! répondit son vis-à-vis.

— Quelles sont vos motivations ?

— Une France propre.

— Par quels moyens l'obtenir ?

— En virant les crouilles et les Noirs et en butant ceux qui s'en prennent à nos femmes.

— Etes-vous prêt à l'action !

— Absolument !

— A toutes les actions ? Réfléchissez avant de répondre.

— Pas besoin de réfléchir : à toutes !

— Très bien, nous allons examiner votre candidature et vous serez très rapidement informé de notre décision.

Il parut hésiter, puis tendit sa main gantée à son interlocuteur qui la lui serra avec énergie.

*
* *

Or donc, orphelin !

Je suis, nous sommes, orphelins. Car, pour moi, le décès de Chilou ne fait aucun doute.

De retour dans son bureau, son absence m'est plus cuisante encore. Je m'affale dans le grand fauteuil et promène mes doigts sur ces accoudoirs garnis de cuir où, tant de fois ses paumes ont glissé.

Mathias, toujours top-niveau, s'est « occupé » de la July assassinée. Il a procédé aux investigations d'usage, relevé des indices, emporté le ya meurtrier dans une enveloppe de plastique. Je lui ai également confié les différentes bricoles que j'ai prises dans la chambre 42 du *Roi Jules*. Je me sens en totale délabrante, tel un vieux camion à bandages abandonné rouillé au fond d'un terrain vague.

J'allonge mes pieds sur le divin burlingue, ce qui ne s'est jamais produit ici, croise mes paluches sur mon estomac bardé d'une ceinture de muscles et je m'envoie dehors, c'est-à-dire dans mon cosmos à moi, où les planètes sont peuplées de belles filles nues. Je suis au point mort, en roue libre. Je guette l'inspiration. Il faut qu'elle se produise. J'ai besoin d'un déclic (ou de claques) pour performer de nouveau.

Je récapitule ma nuit insensée en compagnie (alternative) des deux femelles copie conforme. Les cristaux de Bocuse, son armada de serveurs, son portrait iconographique, ses mets délectablo-savoureux… L'hélico du retour avec le bruit de crécelle. Le petit club-house où le café avait un goût de bottes de sept lieues venant d'en arpenter cinq mille ! La July 2, si sûre de soi… Notre début de grand amour… J'en ai conservé un souvenir olfactif à l'extrémité de mes doigts. Je me suis toujours demandé pourquoi les chattes avaient toutes la même odeur, ou presque ! Et les zoos idem ! Ma visite à l'hôtel du *Roi Jules*, la fouille « injustifiée » de la chambre 42. Ensuite, ma fin de nuit au *Royal Chambord*, près d'une fille ayant une lame de douze centimètres entre les omoplates ! Si on apprenait ça, quelle risée dans le

Landerneau ! L'Antonio qui pionce contre un cadavre sans s'en rendre compte ! J'en pleurerais de honte !

Me faut ma maman. Y a que ma Féloche pour me remonter la pendule. A elle, je peux tout raconter. Elle trouvera les mots qui cicatrisent l'orgueil.

Je m'en revais à travers le monde ; du moins jusqu'à Saint-Cloud. Je conduis sans m'en rendre compte, machinalement. Trop peut-être puisque je frôle une religieuse engagée dans les clous. La voilà qui se met à me traiter de « Tête de nœud ! » Y a un laisser-aller dans la Sainte Eglise, je te jure ! Le moment est imminent où en confession, le prêtre te dira pour conclure :

« — Casse-toi, mec, et récite dix Pater et un navet Maria. »

Il fait soleil sur Saint-Cloud. Oh ! c'est pas les sunlights de la Paramount, mais enfin c'est plaisant et les zoiseaux y vont de leur ritournelle matinale.

Comme je me dirige vers notre pavillon, mon sang ne fait qu'un tour, mais à toute pompe. Figure-toi que nos fenêtres du rez-de-chaussée sont disloquées, brisées, et que certains de nos meubles gisent, démantelés, dans les massifs de fleurs. Je reconnais notre horloge bressane, complètement éventrée, avec le beau nombril d'or de son balancier sur la pelouse, pareil à une fleur de tournesol.

— Seigneur ! geins-je, est-ce possible ?

Pas d'erreur : ça l'est !

CHAT CLOWN 8

Ce qui m'attend à l'intérieur est bien pire !

Depuis l'entrée, je les aperçois, saucissonnées, garrottées, bâillonnées, suspendues de dos, par les poignets, à un balustre de l'escalier. M'man et Maria ! Ensanglantées, couvertes d'ecchymoses. Maria gémit, un filet de sang lui dégouline du pif. On a saccagé le chignon de ma Félicie et ses cheveux en déroute, ses longs cheveux gris d'ancienne petite fille pendent devant son visage. Ce que j'éprouve alors, en l'apercevant ainsi, elle toujours tirée à quatre épingles (à cheveux) dépasse en intensité, en violence rentrée, toutes les poussées d'adrénaline que j'ai pu essuyer jusqu'à ce jour ! Un incoercible besoin de vengeance ! Une faim de meurtre qui me fait sucrer comme une attaque de Parkinson.

Je me précipite. J'agis avec automatisme, sans proférer un mot. Mon couteau de poche me jaillit entre les doigts ; d'une pesée j'en fais gicler la lame et je tranche les cordes comme un perdu. Je soutiens ces deux pauvres chéries afin qu'elles ne s'écroulent point sur le carrelage. Bientôt c'est leurs bâillons que j'arrache. Et puis je les saisis aux épaules et je sanglote comme une fillette à qui un noir ramoneur montre combien il a la queue blanche.

C'est m'man qui me console – ô ironie ! (comme on écrivait dans les livres de jadis). O ironie. Toujours.

— Ne pleure pas, mon grand, c'est fini. Nous n'avons rien de bien grave, n'est-ce pas, Maria ?

Notre Ibérique, vaincue par mes pleurs (dont elle s'attribue la cause), se jette sur ma gueule et me plante une galoche en pleine poire, devant ma vieille !

Hé ! calmos, la mère ! Je me dégage vivement.

Félicie me raconte qu'elles ont été réveillées en pleine nuit par le bruit de la porte qui a claqué. Elle a cru que je rentrais et s'est levée pour s'enquérir si elle devait me préparer une jaffe nocturne. Elle est tombée sur trois gus munis de cagoules noires qui se sont jetés sur elle et lui ont entravé bras et jambes. Le raffut a attiré Maria que les mecs ont ligotée à son tour.

— Et Toinet ? m'enquiers-je.

— Il est parti hier à la Grande Chartreuse avec l'école.

Elle reprend le cours de son récit. Les cagoulards lui ont montré deux photos polaroïd représentant l'une Jérémie et l'autre Violette. Dans un triste état, assure maman.

— Je me suis demandé si, quand on les a photographiés, ils étaient morts ou vivants. M. Blanc, en tout cas, était au moins inconscient, mais je crains le pire car il avait les yeux entrouverts, mais sans regard, si tu vois ce que je veux dire.

Je vois.

— Pourquoi t'ont-ils fait voir ces clichés ?

— Ils m'ont demandé si je connaissais ce couple.

— Et qu'as-tu répondu ?

— Que non. Alors ils se sont mis à tout casser ici, comme tu peux voir. J'ai continué de nier les connaître. Du coup, ils m'ont prise à partie. Ils me frappaient par tout le corps avec deux matraques de caoutchouc. J'ai nié encore. Après, ils s'en sont pris à la pauvre Maria et ils m'ont déclaré qu'ils la tueraient sous mes yeux si je ne parlais pas. Que veux-tu, j'ai fini par avouer.

Je l'embrasse doucement sur ses bleus.

— Tu as bien fait, ma poule ; il était inutile de t'entêter. Que leur as-tu dit ?

— Que Jérémie Blanc était un de tes inspecteurs et que la petite aussi faisait partie de la police.

— Quelles ont été leurs réactions ?

— Ils ont ri en assurant qu'ils en étaient certains et ils ont ajouté que tu devais laisser tomber la direction de l'enquête concernant leur travail de justiciers, sinon tu serais abattu avant la fin de la semaine et moi aussi et également le petit, avant son retour de la Chartreuse. Te rends-tu compte qu'ils savaient où il se trouve !

Je feins de prendre cette menace pour du vent et je leur dis que je vais les embarquer à l'hôpital pour qu'elles subissent des examens et qu'on panse leurs blessures, mais ma Féloche renâcle.

— Pas question, mon Grand. Nous n'avons rien de cassé et je possède dans mon placard tout ce qu'il faut pour soigner nos plaies et nos bosses. Nous allons commencer par boire un café fort, Maria et moi, car nous en avons besoin. Avec une petite rasade de rhum dedans, n'est-ce pas, Maria ?

Elle est docile, cette Espanche. Accepte tout ce qu'on lui propose. Pendant que ma mère branche le moulin à caoua électrique, je lui caresse la moulasse à travers sa chemise de nuit. Maria, t'as l'impression que son

poilu de quatorze, c'est une brosse de chiendent ! Elle
se frotterait à loilpé sur le parquet, ça servirait de paille
de fer.

Dans le fond, ça lui va bien cette derrouillée. Ça lui
donne un côté ardent, sauvage, à la Sophia Loren. Elle
fait louve indomptable, la môme. Faudra que je me
l'emplâtre avant la fin de la journée !

Quand les deux gentilles ont bu leur café, qu'elles se
sont colmaté les brèches, je les aide à rentrer le mobilier saccagé. Maman en a gros sur le cœur de voir ses
meubles de famille dans ce piteux état.

Je téléphone au père Blancard, notre vieil ébéniste de
toujours pour lui expliquer que des voyous sont venus
faire un raid à la maison et le supplier de réparer leurs
dégâts. Il promet de se pointer dans l'après-midi.

M'man monte refaire sa coiffure de grand-mère, ce
qui lui prend un temps infini. J'en profite pour planter
Maria en levrette contre la paillasse de l'évier. C'est
une figure que j'aime beaucoup, seulement, pour bien
la contrôler, il convient de bander. L'indécis qui s'y
risque se retrouve vite avec le goumi en torche et plus
récupérable, fût-ce pour une tringlée à la papa avec un
chausse-pied ! T'as rien de plus perfide au monde que
le zob. Il te donne des assurances formelles, et puis une
idée lui passe par la tête et c'est la débandade. Mais là,
non, je performe de but en blanc et de bout en bout.
Une vraie barre fixe ! T'as des rampes d'escalier qui
sont moins fiables que Nestor !

Jean-Paul Mizinsky ressemble à un révolutionnaire
polak qui a mal réglé sa bombe, laquelle a découillé ses

potes, le laissant seul dans des remords et des chagrins sans fond.

Il est engoncé dans le col de cuir de son blouson, pas rasé, inlavé et le regard glauque. De temps à autre, il sort son paquet de tiges de sa poche, va pour en prendre une, n'ose et rengaine son usine à cancer. Il se livre à ce manège pour la quatrième fois quand j'interviens :

— Si t'espères que je vais t'inciter à en griller une dans ce bureau, tu te bâtis des chimères, mon garçon ! Je me bats au côté de la ligue antitabac ! Fais-toi plutôt faire une pipe, ça te calmera les nerfs !

Il rit jaune. Jaune tabac.

— Vous êtes un père pour vos jeunes confrères, monsieur le commissaire.

Son ton est dépourvu d'ironie, mais je la devine quand même.

— Tu as du nouveau, côté de Meximieux, ton marchand de croix gammées ?

— J'ai passé deux heures à interroger sa compagne ; c'est pas un cadeau. Camée jusqu'aux sourcils et folle de chagrin depuis la mort de son mec. Complètement égarée et bonne pour le cabanon. Si je vous disais qu'elle s'est mise à se masturber pendant que je lui posais des questions. Et pas en cachette ! Le jean baissé ! Ce tableau ! Mes hommes ne savaient plus où se mettre.

— Tu as d'autres clients sur le feu ?

Voilà que je le tutoie, ce morninge, délibérément ; mais lui se retranche derrière « ses distances ».

— Mon équipe a dans son collimateur une demi-douzaine de petits cons à brassards qui font les marioles au cours de réunions extrémistes. On les surveille car rien ne vaut un bon flagrant délit ; c'est préférable à tous les interrogatoires.

N'y tenant plus, il se file une sèche entre les lèvres et murmure :

— Je vous promets de ne pas l'allumer.

— Ben dis donc, tu es salement intoxiqué !

— Mourir de ça ou d'autre chose…

— C'est toujours ce qu'on dit avant que le crabe vous saute sur les éponges ; après, le ton change…

— Dans notre métier, on risque davantage de prendre des balles que des tumeurs dans les soufflets, monsieur le commissaire.

Ce genre de considérations pourraient s'échanger encore sur dix pages, mais l'arrivée de la Pine opère une diversion opportune.

Il est ronflant, le nouveau milord, dans son prince-de-galles gris. Chapeauté *english*, chaussé italoche. Rasé de si près qu'il en paraît eczémateux, le Débris. Ne subsiste de sa silhouette passée que son mégot à combustion lente, gros cylindre papier maïs. Il ne le ranime plus au briquet à mèche fumeuse, mais au moyen d'un Cartier en or massif orné d'un saphir.

— Salut, les hommes ! nous gratifie-t-il.

Il sent bon le Lord anglais ou le familier du Jockey Club. Son sourire recèle des secrets. Moi qui le connais, je vois la chose au premier coup d'œil. J'attends, sachant qu'il ne tardera pas à rendre publics ses mystères.

Et en effet :

— Je crois avoir du nouveau concernant la disparition de Jérémie et de Violette.

Il déboutonne son veston, s'assied, croise les jambes et lisse le pli de son pantalon.

— L'*Hôtel du Roi Jules* comporte deux issues :

l'entrée principale et une porte donnant sur la petite rue de derrière qui s'appelle « rue de l'Abbé-Névole ». C'est cette sortie de derrière qui m'intéressait. Je me suis livré à une enquête approfondie et j'ai recueilli ainsi les témoignages de deux personnes se rappelant avoir vu s'en aller un Noir accompagné d'une jeune femme et d'un autre homme. Le premier témoin est un cordonnier hémiplégique nommé César Lagrolle, le second une institutrice célibataire qui s'appelle Arlette Ménaupe.

« Les deux sont formels : nos collègues sont partis du *Roi Jules* tout à fait libres et semblaient même en excellents termes avec le deuxième homme. Ce dernier est décrit comme étant un individu plutôt jeune, de taille moyenne, portant un duffle-coat bleu marine et un béret de para. Les trois personnes ont pris place à bord d'une Estafette comme en ont les postiers, mais de couleur bordeaux avec, sur ses flancs, en caractères blancs, la raison sociale d'une entreprise d'électricité. Ce dernier détail a été fourni par l'institutrice qui se trouvait dans la rue quand le trio est monté en voiture. Depuis son échoppe, le savetier n'a pu voir l'Estafette, garée au-delà de son champ de vision. »

Pinuche se tait et rallume son mégot, comme chaque fois qu'il a quelque raison de « s'estimer ». Mizinsky me le désigne et demande :

— L'inspecteur Pinaud a le droit de fumer au bénéfice de l'âge ?

— Il ne fume pas, réponds-je. C'est sa façon de se tailler la moustache. Regarde, son clope est déjà éteint.

Là-dessus je quitte le fauteuil directorial et lui imprime irrévérencieusement un mouvement giratoire. Il exécute un tour complet en grinçant et s'arrête dans

sa position initiale. Je pense au Boss. Est-il mort ?
Est-il vivant ? Et nous reverrons-nous, ô mon Chilou
que j'aime ?

Le chef s'était débarrassé de son loup de velours et
avait retrouvé son univers habituel, empreint d'un luxe
sûr.

Sa ligne privée fit entendre un grésillement pudique.
Il décrocha sans hâte.

— Je peux parler ? s'enquit une voix qu'il identifia
sur-le-champ.

— Vous pouvez.

— Que pensez-vous du type que je vous ai adressé ?

— Rien.

— C'est-à-dire ?

— C'est-à-dire « rien » ; je n'ai pas de mot plus
précis pour cerner ma pensée.

— Vous n'avez pas confiance en lui ?

— Ce n'est pas un critère : je n'ai confiance en personne. La confiance ligote les hommes d'action. Ce que
je perçois mal, c'est son utilisation.

— Moi, je la vois clairement.

— Je vous écoute…

— En cas de problèmes, il peut servir de monnaie
d'échange, surtout s'il est mouillé jusqu'aux os.

La justesse du raisonnement, autant que sa simpli-
cité, convainquirent le chef. Ce n'était pas un homme à
amour-propre et il acceptait volontiers qu'un subalterne
lui démontre ses torts.

— Exact, admit-il ; voilà qui est bien pensé. Je l'en-
rôle donc, mais il va falloir le tenir à l'œil.

— Ça, c'est votre problème, riposta l'interlocuteur. Dans ma position cette tâche est irréalisable.

Le chef ne se formalisa pas.

— En effet, dit-il, c'est mon travail. Merci.

Il raccrocha et alla se servir un verre de crème de cassis : il aimait les douceurs.

— Ménaupe ! lança le directeur, il y a ici deux messieurs qui ont besoin de vous parler d'urgence.

Arlette fit signe de s'asseoir à Hubert Landrivon qui lui récitait (mal) les affluents de la Loire. Ainsi sauvé par le gong, le cancre eut le sentiment obscur qu'une puissance divine veillait à nous secourir dans les cas désespérés. Il n'éleva pas son âme parce qu'il n'avait pas encore conscience d'en posséder une, mais il se fit néanmoins en lui un travail philosophique assez intéressant.

Arlette Ménaupe sortit dans le couloir où s'enchevêtraient des canalisations de chauffage et des câbles électriques.

Les cloisons séparant les classes étaient vitrées dans leur partie supérieure pour permettre une meilleure circulation de la lumière, mais la vieille école baignait malgré tout dans de maussades pénombres.

Le directeur se tourna vers nous.

— Je vous laisse, dit-il, à moins que vous n'ayez besoin de moi ?

Mais nous n'avions pas besoin de lui.

L'instite reconnut Pinaud et eut pour lui un affable sourire de connivence. Visiblement, ce vieillard distingué l'impressionnait favorablement. Elle avait toujours eu une terreur maladive des hommes et, si elle n'était pas rigoureusement vierge, cela tenait à l'usage de son godemiché de jeune fille dont elle n'avait jamais cessé d'user. L'appareil lui avait été offert, à l'Ecole Normale, par l'une de ses amies de pension qui l'avait subtilisé à sa grande sœur et ne pouvait le conserver par-devers elle (non plus qu'en elle) de retour à la maison. Cette pratique « onaniste » lui était devenue indispensable, au point qu'elle succombait deux fois par jour à la tentation : le matin, sur le coup de dix heures, et le soir en se mettant au lit. « L'objet » ne quittait pas son sac, aussi ses élèves s'étaient-ils longuement demandé pourquoi la maîtresse allait toujours aux gogues avec son réticule sous le bras. Au début, les filles les plus initiées estimaient qu'elle allait souscrire à l'opération « recharge de la cartouche », mais comme elle s'éclipsait *tous les jours* de la classe, ils avaient flairé autre chose. Le sac à main d'Arlette ne quittait pas son bureau.

Un jour que le grand Duniais se trouvait au tableau pour une sordide histoire de conjugaison. (Verbe aller ! A la tienne. Des allures fastoches de Ier groupe, ce salaud, mais bel et bien du 3e, mon con. « Que nous allassions ! » Et bonne année, grand-mère !) Pendant que la malheureuse victime interrogeait ses potes du menton, la mère Ménaupe s'était élancée sur Mauricet Ben l'Arbi (un noble) qui montrait sa zézette à Mado Fringuant. Pendant l'échauffourée qui avait consécuté de cet attentat à la pudeur, Duniais, avec une présence d'esprit incroyable, avait ouvert le sac d'Arlette et aperçu un objet cylindrique, renflé d'un bout, en plastique rose et qui sentait la chatte à deux mètres. L'élève interrogé ignorait tout du verbe aller, mais savait ce qu'est un godemiché. Il referma prestement le sac et adressa un geste de triomphe à ses condisciples.

La récré qui suivit fut tempétueuse. On dut révéler aux ignorants en quoi consistait le gode de la Ménaupe et à quoi il servait. Les plus crapules ourdirent un plan machiavélique et attendirent l'occasion de le mettre en application. Cette occasion, je la leur fournis, ce matin, en venant interroger leur institutrice qui, troublée par notre venue, a oublié son sac à main sur son bureau.

— Mademoiselle, je suis navré de venir vous troubler au milieu d'un cours mais il s'agit d'une affaire très grave.

Effectivement, pour ce qui est de la troubler, je la trouble, binette, sans me vanter ! Mon sourire enjôleur et mon regard fripon lui font rougir les oreilles jusqu'au tympan. Elle cherche à fuir mes yeux, mais impossible ! La fascination du mec s'exerce à plein régime et tout ce qu'elle peut faire, c'est détremper sa chaste culotte de coton.

Elle coasse qu'elle est à notre disposition.

Ce vieux daim de Pinuche ne manque pas de décocher un compliment de son cru :

— Puissiez-vous dire vrai, charmante demoiselle ! Du coup ! la maîtresse décolle et nous en remet quelques millilitres supplémentaires. Du sans plomb !

— Vous l'avez déjà compris, mademoiselle Ménaupe, il s'agit de votre témoignage concernant trois personnes sorties de l'*Hôtel du Roi Jules*. Elles sont montées dans une Estafette et c'est de ce véhicule que je voudrais vous faire parler. Il existe deux sortes de mémoires : la mémoire sensorielle et la mémoire subconsciente. Vous avez décrit à l'inspecteur principal Pinaud, ici présent, le résultat de votre première moisson, ce que j'espère de vous, c'est que vous stimuliez votre subconscient afin de nous livrer des détails supplémentaires qui nous seraient précieux.

Pendant ce temps, dans la classe, ça carbure, espère ! Sabrina, la brunette, fait le 22 devant la lourde. Pendant ce temps, Duniais fauche le gode dans le sac et le brandit comme un sceptre dérisoire en criant « Chuuuut ». Mauricet Ben l'Arbi le rejoint fissa avec son petit pot de harissa qui ne le quitte plus depuis le jour du « plan ». C'est chouette que le godemiché soit rose. Il trempe son doigt dans la sauce pimentée et en badigeonne le bout renflé du sexe de misère. Il souffle sur son ouvrage pour hâter le séchage. On remet le paf bidon dans le sac. Ça se marre vilain dans le classe. Duniais se fâche. Il décrète d'une voix de chef :

— Un ou une qui vendra la mèche, je lui écrase la gueule à la récré !

Il est costaud, bestial. Je te jure qu'il le ferait.

La classe cesse de glousser.

Elle ressemble à un médium, Arlette. Bouts des mains sur les tempes, yeux mi-clos ; mais c'est surtout sa voix qui a des inflexions d'au-delà :

— Le véhicule est lie-de-vin… Une aile avant est enfoncée, la… gauche. Il y a un colifichet accroché au rétroviseur et qui se balance derrière le pare-brise. Il devrait représenter un petit ramoneur savoyard.

Elle déglutit et reprend :

— Sur la paroi de la fourgonnette, des lettres blanches serties en noir. Les initiales d'un prénom composé. La première est un « J », de cela je suis certaine, mais je ne vois pas la seconde, après le tiret. Un « C » ? Jean-Claude, Jean-Christophe ? Jean-Charles ? Ou bien un « B » pour Jean-Baptiste ? Maintenant le nom de famille. Une chose dont je suis sûre : il se termine par « ial ». Comme « Martial », mais c'est plus long que « Martial ». Impossible de vous le préciser mieux. « Electricité » est rédigé en caractères pointus exprimant le courant, vous voyez ce que je veux dire ?

J'opine. Elle aussi. On avait besoin d'opiner ensemble.

— Et pour l'adresse ? soufflé-je.

— Alors là, soupire-t-elle, vaincue par l'oubli.

Et, soucieuse de se justifier :

— Je n'avais aucune raison de mémoriser cette voiture, n'est-ce pas ? Peut-être est-ce à cause du Noir que j'y ai pris garde.

Ça lui a échappé, la Ménaupe devient écarlate comme si un rat d'égout se faufilait dans son trou de balle.

Cette célibataire en manque a remarqué Jérémie parce qu'il est beau à crever et qu'elle lui turluterait volontiers le salami ?

Apeurée, elle ne moufte plus.

— Il arrive qu'on se rappelle plus aisément des chiffres, reprends-je. Vous ne « recevez » rien, côté numéro du département ?

La vieille donzelle fait la moue.

— Pas grand-chose, non.

— Pas grand-chose sous-entend un peu ; dites toujours, mon petit cœur.

Et tu sais quoi ? Incorrigible, je suis. Voilà-t-il pas que je pose ma bouche sur ses lèvres et commence à lui faire le coup d'Alfred le lézard ! Trois secondes, elle reste immobile. Puis elle s'arrache avec un cri rauque et court jusqu'à sa classe.

— Tu as une manière de questionner les témoins ! me reproche Pinaud.

La môme Arlette ressort presto en serrant son sac à main sur son cœur. Elle cavale façon chamoise des Alpes jusqu'aux tartisses qui malodorent au fond du couloir.

— Tes baisers lui font un curieux effet, ricane César. Ils sont laxatifs ou quoi ?

— Elle serait pas un peu pincecornée ? hypothésé-je.

Quelques instants s'écoulent et alors un cri inhumain, un cri fou s'élève dans les échos du groupe scolaire.

Je fonce en direction des chiches. Une porte est fermée, mais il existe un espace entre la porte et le plafond. Je m'élance, cramponne le bord de l'huis.

Du jamais vu, les gars !

Arlette Ménaupe se tient, jupe relevée, à califourchon sur le siège. Sa culotte Bateau a glissé dans le trou fétide. Sa dextre est crispée sur un étrange goumi en forme de paf et elle hurle à s'en faire gicler la tripaille.

— Quelque chose qui ne va pas, mon petit cœur ? je lui demande avec toute la gentillesse que je suis capable de rassembler en une seule fournée.

Je presse si fort le timbre de la sonnette que j'ai l'impression d'avoir mon index enfoncé dans le mur jusqu'au coude.

— Ne vous escrimez pas comme ça, monsieur le commissaire, me dit une voix épaissie par les bronchites et le côtes-du-rhône : y a plus personne !

Un agent ancien style se tient derrière moi. Fin de carrière, le kébour de traviole, un loup de vinasse plaqué sur le visage. Il m'explique :

— C'est moi dont je suis de service aujourd'hui ; mais je garde des pierres, vu que la maison est vide. Ce matin, on a embarqué un malade en ambulance et, au début de l'après-midi, le grand valet est parti avec la Rolls et le restant du personnel.

Je regarde l'hôtel particulier d'Achille et ma sensation de détresse s'accroît. Mon vilain pressentiment est confirmé par ce que m'apprend le gardien de la paix : le boss est clamsé dans la nove. En haut lieu, et pour des raisons qui m'échappent comme un chapelet de pets échappe à Bérurier, on a décidé de différer l'annonce de son trépas. Afin d'éviter les suites (et les fuites), le personnel a été évacué.

Bref salut militaire à l'agent qui m'en rend un autre, magistral, avec frémissement du coude et du petit doigt au niveau de l'oreille, déclenchement latéral du geste et claquement de la dextre contre le drap du pantalon.

On ne se reverra probablement jamais, l'agent Bambois et moi. Petit drame de la vie...

M'man est guillerette au téléphone. Elle m'assure qu'elle n'a plus peur, non plus que Maria, et que l'inspecteur Latouche que j'ai mis chez nous pour assurer leur sécurité, est un homme délicieux malgré ses déboires familiaux : sa fille aînée enceinte d'un peintre, son fils drogué est séropositif, sa femme a le cul plein d'herpès et sa chienne un cancer des mamelles ! Un

complet ! Il va se faire du lard, chez nous, Latouche !
Les oiseaux sans tête, les crèmes brûlées, le bourgueil,
il transformera tout ça en tombereaux de calories, ce
mec ! Déjà qu'il se coltine un burlingue de chanoine.

— Tu penses rentrer bientôt, mon grand ?

— Je ne crois pas.

— Tu n'as pas une bonne voix ? s'inquiète ma chère
chérie.

— Ça ne peut pas baigner tous les jours dans le
beurre des Charentes, ma poule.

Je lui titille la trompe d'Eustache d'un mimi miau-
leur et me hâte de raccrocher avant de lui flanquer le
bourdon. Telle que je la sais, elle va sûrement aller dire
une petite prière pour moi, dans sa chambre, devant
la grande photo de papa. Depuis qu'il n'est plus, mon
vieux, elle le charge d'intercéder auprès du bon Dieu ;
c'est lui qui fait toutes ses commissions, là-haut. Il est
devenu une espèce de saint postier chargé des exprès.

Mais comme il était ici-bas un homme d'une grande
conscience, au Ciel elle ne s'en tire pas mal, notre
estafette.

Estafette !

Ça me remet le témoignage de la pauvre Arlette
Ménaupe en gamberge. Je grimpe chez Mathias lui
remettre ma provende de renseignements. Je compte
fermement sur son efficacité pour débrouiller cette
pelote de nœuds.

Il usine sur July 2, m'apprend que son portrait est
parti pour tous les azimuts ainsi que ses empreintes.
Il est certain de dégauchir l'identité de la fille dans
les vingt-quatre heures. Toutes les polices des cinq

continents sont en train de réceptionner le dossier : il est forcé que ça paie.

Je lui fais part de mes derniers tuyaux dont il prend note scrupuleusement.

Le Rouquemoute relève la tête de sur son papier griffonné et déclare :

— Il est à peu près certain que le type qui a enlevé Jérémie et Violette avait pris une chambre à l'hôtel où ils baisaient. Certain également que c'est un familier puisqu'ils se sont interrompus de bien faire pour le suivre. Les témoins assurent que ce trio semblait relaxe. Connaissant le Noir et la môme, on peut être assurés qu'ils ne se seraient pas laissé emballer par un seul homme, eût-il une arme en poche.

— Je sais tout ça, réponds-je. Ça me fait comme le *Boléro* de Ravel dans la boîte à méninges. Mais quelque chose cloche, amigo.

— Quoi donc, Tonio ?

Tonio ! Il mouille son slip d'une pareille audace, l'Incendié ! Une telle familiarité, lui ! Avec moi !

Je lui narre l'agression dont m'man et la bonne ont été victimes.

— Tu comprends, conclus-je, à quoi bon molester ces deux chères femmes pour leur faire admettre que Jérémie et Violette sont bien des flics, si c'est quelqu'un de leurs relations qui les a enlevés ?

— Juste ! admet le Flamboyant ; là, y a comme un défaut.

Il se frotte la joue du bout des doigts, perplexe, mais ses taches de rousseur ne s'en vont pas.

— Il doit y avoir une explication à ce mystère, assure-t-il.

— *Of course* ; il y en a une aussi à propos des statues de l'île de Pâques, mais on l'attend toujours…

— Tu as raconté tout ça au Dirlo, Tonio ?

Je secoue la tête.

— Le Dirlo, si j'en crois mon instinct, est allé faire des baisemains aux saintes les plus huppées du Paradis. Mais garde ça pour toi, Blondinet ; il ne s'agit que d'un funeste pressentiment.

— J'ai le même, m'avoue le Brasero. Je ne le « sens » plus, c'est comme s'il avait glissé dans une autre dimension.

— Pas de morts, aujourd'hui, parmi les bronzés-frayeurs-de-Blanches ?

— Pas encore, mais ça ne saurait tarder, répond Mathias d'un air entendu.

CHAT CLOWN 9

Laladou but son Coca cul sec.

— T'as jamais essayé d'y mettre du whisky dedans ?
questionna Charlotte.

— Je suis musulman, répondit le Noir.

Elle travaillait au Prisunic voisin, ainsi que le
Sénégalais. Elle, en qualité de vendeuse, lui comme
manutentionnaire. Cela faisait quinze jours qu'il la
regardait avec sa bite, et la môme, un poil raciste au
départ, avait fini par accuser réception du message. La
veille, elle avait accepté de le suivre dans un petit hôtel
de passes de la rue Broutemiche, en plein quartier Saint-
Martin. Au début, elle s'était montrée réticente, non par
vertu, mais par crainte des « chasseurs de Noirs » qui
sévissaient dans Paris. Laladou avait ri. Pliant son bras
à l'équerre, il l'avait priée de toucher son biceps.

« — Je fais de la boxe, Lolotte. Ceux qui me vou-
draient du mal auraient la gueule de travers en dix
secondes. »

Rassurée par cette démonstration de force, elle
l'avait suivi au *Mistigri Elite* et n'avait pas regretté

le détour. Vingt-quatre heures plus tard, elle en était encore endolorie.

— On y va ? demanda Laladou.

— D'accord, mais tu feras doucement, pleurnicha-t-elle. Tu ne te rends pas compte : un morceau pareil !

Il promit ce qu'elle voulut, le mâle acceptant tous les renoncements « avant » l'acte, mais oubliant ses promesses pendant.

Ils sortirent du bar en se tenant par la taille.

Un homme qui les surveillait depuis sa voiture stationnée en face du café actionna son avertisseur.

— Tu vas nous faire remarquer, grogna la femme assise à son côté.

Il ne répondit pas et mit le moteur en marche. Lorsque le couple eut quelques mètres d'avance, il déboîta et le suivit. Le conducteur paraissait soucieux. Il mâchonnait un morceau de réglisse de bois (une habitude qui le traquait depuis la communale).

— Tu as les foies ? demanda sa compagne.

— Le travail va être fait par un nouveau, fit le chauffeur.

— Faut un début à tout.

— C'est un flic !

— Ben alors il est du métier !

— Il a l'air con, fit le chauffeur ; c'est un gros con dégueulasse.

— Ça ne l'empêche pas de viser juste, je suppose ?

Le *Mistigri Elite* était un établissement minable situé au fond d'une impasse borgne, le genre boîte à morpions où devaient se transmettre nombre de maladies honteuses. Il y avait comme un porche donnant sur la rue, le rez-de-chaussée d'un immeuble ouvert sur l'impasse dans laquelle avait échoué un bric-à-brac sans nom que personne ne viendrait récupérer avant la démolition du quartier. Tout au fond, un perron de trois marches, et un globe électrique fêlé annonçait l'hôtel.

Le conducteur vit le couple s'engager sous le porche. Il fut happé par une pénombre grise.

Un gros type ceint d'un immense tablier de boucher maculé de sang, se dégagea d'une sorte de niche constituée par une porte de cave condamnée. Il se laissa dépasser par le Noir et sa conquête et sortit de sa large poche ventrale un pistolet de fort calibre équipé d'un silencieux. Il l'éleva posément à hauteur de sa hanche et tira sans hâte quatre balles dans le dos de Laladou. La rumeur de la circulation couvrit le faible crachotement de l'arme.

Le Noir parut trébucher. Il lâcha la taille de Charlotte et eut l'air de se mettre à courir ; mais il ne fit que deux enjambées, ses jambes ployèrent et il tomba la face contre les méchants pavés dits « tête de chat ». Son amie n'avait encore rien compris à ce qui se passait.

Le boucher sortit de l'immeuble, les mains aux poches. Il s'approcha de la voiture arrêtée et prit place à l'arrière :

— Chauffeur ! Au Bois et lentement ! lança-t-il joyeusement.

L'interpellé démarra.

— Beau carton, apprécia-t-il. Mais pourquoi avoir épargné la petite pute ?

— Parce qu'elle est blanche, mon pote. Moi j'sus entré dans vot' régiment d'élite pour effacer des niacouais, uniqu'ment. J'ai rien promis d'aut'.

Et il laissa filer en loucedé un long pet qui ne tarda pas, cependant, à révéler sa présence.

*
* *

La vie est un éternel recommencement. C'est pour
cela que mourir ne doit servir de rien, je pressens. Une
fois franchi le fameux tunnel dont parle les « revenus »
et avoir débouché dans l'ineffable lumière, après les
retrouvailles avec pépé, mémé, le général de Gaulle,
Richelieu, Sully tout court et Sully Prudhomme,
Mme Bérenge la concierge de Céline, Gainsbourg,
papa, l'oncle Jean et des milliards d'autres, oui, après ce
bigntz, tu penses bien que tout se réorganise en douceur,
tout repart dans des habitudes frelateuses. *Recommence*,
quoi !

C'est pile à cela que je pense pendant que l'hélico
prêté par la gendarmerie se pose sur le terrain de
Chalon-sur-Saône.

La Pine qui m'escorte se déléthargise et rallume son
mégot. Une petite pluie fine fait des hachures sur le
paysage, ce qui nous fait deux raisons de rentrer la tête
dans les épaules lorsque nous déboulons du zinc.

— Je dois vous attendre, monsieur le commissaire ?
demande le pilote en uniforme.

— S'il vous plaît, amigo. Mais il m'est impossible de
prévoir la durée de notre escale. De toute façon, vous
disposez d'un petit club-house où vous trouverez de la
chaleur et de quoi vous sustenter.

Nous courons, César et moi, jusqu'au dit.

Il est géré par le même vieux nœud que l'autre nuit,
sauf que le mec a troqué son pyjama contre un pantalon de velours et un pull en laine qui pue la bergerie
négligée.

Il me reconnaît, je vois ça à son sourcil droit qui se soulève de trois millimètres.

— C'est encore moi ! je ricane.

— Vous avez quelqu'un à voir dans le coin ?

— Oui : vous ! Cela dit, servez-nous deux mâcon blancs.

— Pas d'alcool ! ronchonne le vieux glauque.

Son pif, pourtant, nous inciterait à douter de sa parole.

— Alors deux Perrier citron.

Pendant qu'il procède, je déballe ma carte tricolorisée et la dépose sur son rade, tournée dans sa direction, c'est-à-dire plein nord. Il louche dessus en posant les deux verres pleins de pétillance et a un acquiescement pour indiquer qu'il est nullement surpris.

— C'est à propos de l'autre nuit, attaqué-je-t-il.

— Allez-y.

— Vous vous rappelez la femme qui m'accompagnait ?

— Elle était assez belle pour qu'on ne l'oublie pas tout de suite.

— J'aimerais savoir comment elle s'est comportée après mon départ.

— C'est-à-dire ?

— A-t-elle marqué de l'impatience ? Eu l'air surpris ? Comment est-elle partie d'ici, tout ça, vous pigez ? Bien en détail, monsieur Rombier.

Il resourcille.

— Vous savez mon nom ?

Au lieu de lui dire que je me suis rencardé avant de venir, je lui fais l'aumône d'un chouette mensonge :

— Ben, je vous ai reconnu, qu'est-ce que vous croyez ! Régis Rombier, un as de l'acrobatie aérienne dans les années sixties. Vous grimpiez sur les ailes de votre coucou en vol ! Comme Roland Toutain, le comédien.

Là, je l'inonde de félicité, le vioque. Quand tu fais respirer sa gloire à un oublié, il s'embaume recta. Voilà qu'il se réanime, Rombier, se met à m'aimer.

— C'est vrai que vous m'avez reconnu, commissaire ?

Je remouille la compresse :

— Vous étiez mon idole quand j'étais mouflet !

Là, c'est la larmouille sur sa peau parcheminée.

Il se penche et sort de sous son rade une boutanche de vin blanc, vide nos verres d'eau gazeuse dans son bac à plonge et nous exécute deux ras bord d'une main qui ne tremble toujours pas.

— Je croyais que vous n'aviez pas le droit de vendre d'alcool, monsieur Rombier ? plaisanté-je.

— Pas le droit d'en *vendre*, mais le droit d'en *offrir*.

Il emplit à son intention un troisième godet.

— A la bonne vôtre, mes amis !

Après avoir ras-bordé, il culsèque, soucieux de ne pas laisser traîner des pièces à conviction.

— Pour en revenir à ce que vous me demandiez, monsieur le commissaire…

— Appelez-moi Antoine, ça me flattera.

Il opine et remplit nos verres de nouveau.

— Vous avez raison, fils : je pourrais être votre père. Donc, l'autre nuit, le pilote vient vous chercher et votre copine reste seule, les jambes croisées ! Pas triste ! J'ai soixante-huit ans, mais je lui aurais bien dit deux mots. Elle regardait l'heure à tout bout de champ. Et puis voilà un type qui se pointe. Jeune : trente-cinq balais à tout casser. Un imper noir à épaulettes ; d'un blond tirant sur le roux, l'air vaguement militaire, mais ça venait sans doute de la coupe de son imperméable.

« Il s'avance à la table de la femme. Elle lui sourit, lui tend la main. Il murmure un nom que j'entends pas, preuve qu'ils ne se connaissaient pas. Le gars dit avec un accent étranger :

« — Pardonnez-moi mon retard, mais j'ai préféré attendre qu'il décolle. »

« Il se tourne vers moi, désigne les consommations.

« — C'est payé ? » il me demande.

« Je fais signe que non. Alors il sorte une liasse de billets de son imper, jette un talbin de cent balles et écarte la table pour que la femme se dégage. Et puis ils s'en vont sans attendre la monnaie. Moi je cours à la porte pour prévenir le type. Je l'entends dire à la femme :

« — C'est à une cinquantaine de kilomètres d'ici, un ravissant petit château bourguignon, à la corne d'une forêt. Vous y serez très bien. »

« Je le hèle :

« — Vous oubliez votre monnaie ! »

« Il a un geste je-m'enfoutiste et s'empare du bras de la femme. Ils vont jusqu'au parking où une voiture avec chauffeur les attend. Une grosse bagnole, genre Mercedes ou américaine couleur foncée. Et ils disparaissent. Terminé ! »

— Eh bien, je n'en espérais pas tant, monsieur Rombier. Vous êtes également un acrobate de la mémoire.

Il me rit à plein dentier. Ses chailles, avec sa vie de cascadeur, il a pas attendu le troisième âge pour les effeuiller. Il en a marqué son chemin de bohème, comme le petit Poucet marquait le sentier du bois avec des cailloux. Soit dit en passant, j'insurge qu'on bonnisse aux bambins l'histoire d'un père allant perdre ses chiares dans la forêt. Drôle de façon de les sécuriser, les pauvrets ! Moi, tu ne m'ôteras pas de l'idée que ce Perrault de mes deux était un grand dégueulasse sadique, à terroriser nos bambins avec ses corneculteries de loup habillé en grand-mère pour bouffer la petite fille, de Barbe-Bleue zigouillant ses rombiasses et autres sanglantes sornettes ! Que moi je préfère lire aux petits enfants quelques pages de Robbe-Grillet pour être bien certain de les endormir mieux qu'avec une péridurale !

— Franchement, je n'en espérais pas tant, répété-je, sincère.

Pinaud qui est en manque de jacte, déclare :

— A quoi tient le hasard. Si cet homme avait réglé normalement vos consommations, sans abandonner un pourboire extravagant, M. Rombier ne serait pas sorti et n'aurait donc pas entendu les paroles du type à l'imperméable relatives à ce château sis à cinquante kilomètres d'ici.

— Maintenant, respire ! enjoins-je à l'élégant.

Puis, à l'ancien cascadeur :

— Monsieur Régis, l'autre nuit vous avez ouvert ce club alors qu'il ne fonctionne que dans la journée, je suppose ? D'ailleurs vous étiez en pyjama sous votre manteau.

— En effet.

— Qui donc vous a demandé de le faire ?

— M. Bonvalet-Depied, le président du club.

— En quels termes et à quelle heure ?

— Il était dix heures du soir. Il m'a dit que la police parisienne demandait l'usage du terrain pour un hélico entre minuit et une heure et que je devais ouvrir ma boutique exceptionnellement pendant ce laps de temps.

— Sans autre ?

— Non. Il n'avait pas l'air de savoir grand-chose de plus.

— Donnez-moi le bigophone de ce M. Bonvalet-Depied.

Le dabuche farfouille dans un tiroir et pêche un bristol sous pochette plastifiée sur lequel sont inscrits quelques noms accompagnés de numéros téléphoniques. Je prends note de celui du président.

— Il y a longtemps que vous habitez le pays, m'sieur Régis ?

— Une dizaine d'années. La même semaine j'ai perdu ma femme et ma mère. Ma vieille était native d'ici. J'ai hérité la maison de famille où elle avait passé sa vie. J'en avais quine de Paname. Alors, après ces deux deuils, je me suis dit que le moment de la verdure était venu. J'ai du terrain : je fais mon vin et mes légumes, quelques moutons… Ça pousse tout seul, le mouton, sans faire chier personne. Une petite pension de merde, un petit turbin de merde au club, ma voisine qui est veuve lave mon linge et me suce la queue ; je m'en sors et j'ai de quoi me finir !

— Vous les connaissez, vous, les castels bourguignons du coin ?

Il hausse les épaules.

— Moi, les châteaux, c'est pas mon blaud, sauf lorsqu'ils sont en photo sur une étiquette de pinard.

Le mot le fait réagir et il nous sert une troisième fois. La pluie tombe plus dru que naguère et cingle les vitres du club-house.

— Vous ne voyez pas qui pourrait me guider à propos de ces foutus châteaux ?

— J'ai ce qu'il vous faut : l'ancien proviseur du lycée. Il a deux passions dans la vie : les vieilles bâtisses bourguignonnes et le vol en planeur.

Il est à table lorsque **nous** sonnons chez ledit.

Un type sympa, corpulent, gris de poil, qui a conservé un accent du Sud-Ouest des plus rocailleux. Ses élèves ont dû beaucoup se marrer, quoiqu'il n'ait pas une frime à se laisser chahuter, M. Rebuffade.

Par une enculade de portes ouvertes, je vois la table servie, sa mémé pas joyce, une grande fille languissante qui doit être la bonne, et une gibelotte de lapin dont l'arôme parvient jusqu'à nos naseaux.

Ma carte ! Mille excuses pour notre intempestivité. Mais cas d'urgence. Vous qui avez été fonctionnaire, cher monsieur...

Il prend la vie du bon côté, Prosper. Nous fait entrer dans son petit bureau qui a des relents d'école.

— Il paraît que vous êtes un spécialiste des vieilles demeures du pays ?

En guise de réponse, il va dans un placard bourré des exemplaires d'une même brochure (éditée à compte d'auteur, j'en mettrais ta bite à couper). En saisit une qu'il tapote contre sa jambe afin de la dépoussiérer et qu'il me tend.

L'ouvrage s'intitule sobrement *Cent belles demeures de Saône-et-Loire*. Il y a deux photos en noir et blanc par page, à gauche. Le texte concernant chacune est à droite, en italiques, encadré d'un filet noir.

— Voilà, fait-il, je vous l'offre, commissaire, et je crois pouvoir vous dire que ce choix est exhaustif.

Je feuillette avec ravissement l'album.

— Pourriez-vous, à partir de la table des matières, me cocher les « castels » qui se trouvent à une cinquantaine de kilomètres de Chalon ?

A cet instant, Mme Rebuffade surgit.

— Edmond, dois-je faire remettre le lapin au four ? s'enquiert la dame avec sévérité.

Elle nous gratifie d'un imperceptible signe de tête.

Je me présente :

— Commissaire San-Antonio, de la police parisienne. Madame, veuillez excuser cette visite inopportune que des motifs graves et pressants justifient. Nous allons libérer votre époux dans moins de cinq minutes et je ne crois pas que l'excellente gibelotte dont le fumet ensorcelle nos papilles gagne à être transférée au four pour si peu de temps.

La voilà sous le charme.

La renversée ! Je pense que mon regard de velours lui essore le slip.

— Aimeriez-vous la partager avec nous, commissaire ? Je cuis toujours beaucoup de lapin à la fois, car...

— Plus il est réchauffé, meilleur il est, complété-je ; c'est également la devise de maman qui, comme vous, est un incomparable cordon-bleu.

Et c'est ainsi que, quatre minutes plus tard, nous sommes installés à la table de l'ancien proviseur, pour parler châteaux. Moment de qualité, la chère étant bonne, sa conversation pleine d'intérêt et la pluie d'une rare violence à l'extérieur (évidemment).

Je lui relate la réplique de l'homme qui vint chercher July Larsen à l'aéro-club : « C'est à une cinquantaine de kilomètres d'ici, un ravissant petit château bourguignon, à la corne d'une forêt... »

Le proviseur agite la tête avec frénésie, ressort de sa bouche la cuisse de lapin déjà proposée à ses molaires et hurle :

— Je sais ! Je sais ! A la corne d'une forêt ! Poupée bleue (là c'est à sa femme qu'il s'adresse), le commissaire veut parler de l'*Hostellerie du Chevalier noir* !

— Sans doute, approuve la digne personne.

Là-dessus, Hermance, la bonne, une grande bringue aux joues creuses et aux cheveux gras vient apporter une seconde bouteille d'un vin rouge dépourvu d'étiquette, mais tout à fait excellent. Elle sert avec maladresse. Son genou se frotte au mien pendant qu'elle emplit mon verre. Je lui souris-zob et elle rougit.

Je ressens toujours un léger pincement de regret sous les testicules quand je suis en présence d'un coup perdu. Note que ça doit pas être l'affaire du siècle, Hermance : l'inexpérience... Et si ça se trouve, elle dégage du fouinozoff. Les ancillaires de province n'ont pas le Cadum spontané. Souvent, elles ne se briquent les dépendances que les veilles de fête ou les jours de bal.

Il m'explique ce qu'est l'*Hostellerie du Chevalier Noir*, mon hôte. Un délicieux château Louis XIII aux exquises proportions qui, trois fois hélas, partait en digue-digue à cause de sa situation isolée. Un jour, un riche Britannique s'est pointé, a eu le coup de foudre et l'a acheté. Il s'est engagé à le remettre en état à condition qu'on lui accorde le droit de le transformer en hostellerie de luxe, sans en altérer l'architecture ni le style. Ça s'est parfaitement bien goupillé avec les Beaux-Arts et l'Urbanisme, et le Rosbif a tenu parole.

Maintenant, le *Chevalier Noir* est un établissement de classe, le propriétaire ayant eu la sagesse de prendre un chef français, ancien élève de Girardet.

En l'écoutant, je fais tilt. Un pan de mystère tombe, c'est comme le gus qui gratte pour se montrer à la téloche. Cet établissement à l'écart des villes et des grandes routes me semble parfaitement susceptible d'héberger une personne soucieuse de disparaître pendant quelque temps. Je gamberge loin, à perte de vue, par-delà les horizons. Supposons qu'une femme July Larsen n° 1, soit pourchassée, menacée par des gens « X » et qu'on veuille coûte que coûte la sauver, tout en laissant croire à ses meurtriers qu'ils ont atteint leur cible ? Ostensiblement, je l'emmène faire la grande virée gastronomique chez Bocuse ; au retour, je la laisse à Chalon. Une autre femme en tout point semblable à elle prend sa place et notre petit scénario galant continue. Dans la soirée, un coup de turlu de Pinuche l'interrompt. Je vole à ce que je crois être mon devoir et, quand je reviens, July 2 est morte !

Ça y est ! Je tiens le bon bout, s'agit de ne plus lâcher le fil ! Maintenant, ça vase en cataracte (dehors). Je me dis que mon coucou ne doit pas pouvoir décoller sous ces trombes.

Il fait doux chez les Rebuffade. Faudra que je téléphone demain à Interflora pour faire livrer des roses à notre hôtesse, femme charmante au demeurant. Un peu trop d'heures de planeur, mais elle devait valoir qu'on se débraguette pour elle, il y a cinq ans encore ! Profitez ! Profitez ! mes chéries. C'est pas quand votre frime sera plissée soleil que les mâles exécuteront la danse du trognon de chou autour de votre vieux cul en gousse d'ail !

Hermance apporte de succulents fromages ainsi qu'une troisième boutanche de mâcon rouge.

— Voilà ce que nous allons faire, décidé-je. César, tu vas conserver la voiture de location. Tu me déposeras à l'aéro-club et ensuite tu descendras à l'*Hostellerie du Chevalier Noir*. Nous allons téléphoner immédiatement afin de te retenir une chambre, si nos hôtes exquis nous y autorisent. J'espère qu'ils auront une valise à te prêter, pour la vérité de la chose.

— Mais comment donc ! glousse la dame Rebuffade, ravie d'intervenir dans une affaire policière de haut niveau.

Histoire de la remercier, je lui fais un brin de genou et la voilà qui ne se sent plus, s'identifie à Adjani, Deneuve, refait sa vie par la pensée. Plus exactement, la termine autrement, avec un bel et intrépide amant chaleureusement monté dans son alcôve, d'où il jaillit sitôt que son singe va faire du vol à voile, pour lui, l'amant, faire du viol à poil, si tu me permets cette boutade un peu juste.

— La femme me connaît, expliqué-je à Pinuche, dès lors je ne puis me montrer au *Chevalier Noir*. Repère-la, si elle s'y trouve, et surveille ses agissements.

La main de la dame Rebuffade m'investit le bénoche. Oh ! la salope ! Avec elle, c'est droit au but ! Comme j'ai la main gauche sous la jupe d'Hermance (qui me propose les frometons), je trique, fatal ! Du coup, la vioque, tout comme Cyrano, a l'odeur du calandos et l'ombre de l'amour ! Elle prend ça pour elle.

— Avec une tempête pareille, vous n'allez pas pouvoir repartir en hélicoptère ! s'inquiète-t-elle. Je vais appeler le club pour qu'on prévienne votre pilote. Vous allez passer la nuit ici et vous vous en irez demain de bonne heure si le temps le permet.

Je n'hésite que par politesse, d'autant que l'Hermance me fait du morse avec sa cuisse contre la mienne.

— Madame, ma confusion se caramélise, bafouillé-je-t-il. Votre hospitalité…

Elle me fourbit la membrane à s'en disjoncter le poignet ; côté arthrite, elle semble épargnée, la Baronne. Dis, elle va pas me déterger la bouche d'incendie avant la fin du repas !

Dans la douce chambre-à-donner des Rebuffade, j'examine sur l'album le castel du *Chevalier Noir*. Il est situé dans la région de Louhans, le long d'un chemin vicinal. Sur la photo, il est encore en délabrement, le cliché ayant été pris avant l'intervention du mécène britannique. Il a l'air beau et triste, mais il est évident qu'il a dû changer de poil depuis les réfections. Un tel hôtel représente effectivement la planque idéale pour quelqu'un soucieux de se faire oublier. C'est le brave proviseur qui a retenu pour Pinuche, comme il est connu. Voilà qui cautionne mon vieux branleur et lui évitera d'éventuelles suspicions.

Ma chère hôtesse voulait me prêter un pyjama de son mari, mais j'ai décliné l'offre, alléguant que je dors toujours nu, ce qui n'a pas éteint son émoi.

Je me dessape donc, range mes hardes au mieux sur deux dossiers de chaise et me pieute avec l'ouvrage d'Edmond Rebuffade, de la Société des Gens de Lettres, chevalier dans l'ordre des Palmes académiques, membre du Comité de Soutien des Monuments en péril, agrégé d'histoire de l'Art (tout ça est évoqué dans la préface qu'Edmond Rebuffade a bien voulu écrire pour le livre d'Edmond Rebuffade).

J'entreprends donc cette très intéressante tournée des vieilles demeures historiques de Saône-et-Loire. Charles le Téméraire était un con, mais sa Bourgogne, pardon ! C'est une sacrée province ! Louis XI l'a bite, Charlot, profond ! Les Suisses ! Eux : tu les paies et t'es servi ! Pas de problo ! Le service après-vente : une merveille ! Il les a chargés de le venger de Péronne et ç'a été sa fête à Morat, au Téméraire. Tu connais pas Morat ? Vas-y voir, ça vaut le voyage. Bois un café renversé à une terrasse de la Grand'Rue et écoute chuchoter les siècles. Y a encore des rumeurs du XVe, là-bas, des ferraillements d'épées contre les armures, des bruits de tocsin sur les remparts, des éclaboussures de sang, peut-être, entre les grosses pierres du chemin de ronde.

Moi, l'affaire des deux July, elle s'éclaire doucement, comme l'aube. Je crois qu'il y a eu un os et que cet os, c'est Chilou. Il s'était lancé dans une combine qu'il n'a pas eu le temps de mener à son terme : la mort (ou la maladie) l'a terrassé avant la ligne d'arrivée. Il a été glandu de ne pas m'affranchir, de m'émietter des instructions au lieu d'y aller franco en dépliant le plan sur la table de sa cage de verre. Maintenant, il faut jouer au puzzle. Rassembler les morcifs, chercher ce qui s'emboîte !

On gratte à ma porte.

— Oui ? roucoulé-je.

C'est la petite Hermance qui me surgit, porteuse d'un plateau sur lequel se trouvent un verre et une bouteille d'eau minérale (comme on n'a pas de budget publicitaire, je te dis pas de marque).

Elle a fait des frais ! S'est recoiffée avec la raie au milieu, a enfilé une chemise de nuit blanche et, par-dessus, un peignoir vaporeux dans les roses barbe-à-papa. Elle est nu-pieds. Elle chuchote :

— J'avais oublié d'apporter de l'eau.

Elle dépose le plateau sur ma table de chevet. Je lui ai déjà cramponné les miches qu'elle a dures comme pommes ! Alors, très chaste, elle se laisse haler.

Cette gosse, à la manière qu'elle bascule, tu piges qu'elle a déjà volé et réussi des atterrissages sur le ventre. Un peu maigrichonne des hanches, avec le bassin en squelette d'amphithéâtre et les nibards étalés à l'œuf sur le plat, sinon elle est de bon aloi côté frifri, *very clean :* Ajax ammoniaqué ! L'essentiel ! On peut lui attaquer une tyrolienne de broussailles sans arrière-pensée !

Ça, elle connaissait pas. La minette glapie, les godelureaux de province rebutent. Soit qu'ils n'osent, soit que n'étant pas suffisamment familiarisés avec la femme et ses dom-tom, ils craignent de pas tenir la route. Pour Hermance, c'est plus important que la découverte de la pénicilline. Au départ, elle se gêne un peu de me voir fourvoyer dans sa sorbetière intime. Elle cherche à me refouler, de ses deux mains à plat sur ma tronche, puis elle change d'avis et émet des râles sibilants en m'attirant un max par les oreilles. Je vais finir par ressembler à un lapin de garenne !

Malgré sa prise féroce, j'entends qu'on frappe. Misère et corde ! comme dit Bérurier. Je me dégage la hure.

— Ouiii ? modulé-je plaisamment.

— C'est moi ! mutine dame Rebuffade.

La bonniche est terrorisée, tétanisée (comme il faut dire dans les vrais polars à poils longs) et je sais plus quoi encore !

— Va sous le lit ! lui soufflé-je.

Et, à la cantonade :

— Je viens !

Vingt-quatre secondes plus tard, calendrier en main, je délourde. L'épouse du proviseur-vol-planeur n'a pas regardé à la dépense. Où placarde-t-elle un tel dés-habillé de soie rose, brodé de cœurs rouges, avec des jours (pour des nuits), des froufrounets ? T'ajoutes à ça un parfum qui ferait éternuer un pic pneumatique et une recharge de fards pour entrée en scène de diva espagnole.

Elle tient un plateau tout pareil à celui de la môme Hermance, avec dessus la même bouteille d'eau miné-rale dont je ne te dirai pas le nom (à moins que Badoit ne m'offre la nouvelle 600 SL que j'ai commandée et qu'il va me falloir payer) ainsi qu'un verre. Celui-ci diffère car il est biseauté, alors que l'ancillaire m'a apporté un verre de cuisine (dit « à moutarde »).

Mme Rebuffade entre, tandis que je relourde.

— Oh ! fait-elle, cette petite cruche vous avait déjà apporté de l'eau ?

— N'est-ce pas le rôle d'une cruche ? ne puis-je m'empêcher.

La boutade lui échappe. Elle n'est pas venue pour ce genre de saillie, si tu veux encore m'autoriser celui-là.

T'ai-je précisé que je suis nu comme un œil de verre dans l'orbite de Jean-Marie et que je dissimule tant mal que bien mon pôle d'intérêt derrière mon polochon.

— Vous êtes superbement bâti, approuve l'hôtesse.

— Vous êtes trop bonne !

— Ça vous ennuie que nous devisions un peu ? J'ai l'impression que vous n'avez pas sommeil.

— M. Rebuffade ne risque-t-il pas de se formaliser d'un entretien aussi… intime que nocturne ?

Elle pouffe.

— Edmond ? Mais mon cher ami, il dort déjà à poings fermés. Il est convaincu qu'il fait de l'insomnie et se gave de petites pilules que je lui compte et qu'il avale de confiance. Ce soir il a eu tripe dose !

Là, je me sens perdu ! Va falloir sauver l'honneur. Je baisse l'intensité (réglable) de ma lampe avant de me risquer à contempler le sujet qui m'échoit. On tombe dans le surgelé, évidemment. Poupette, elle drague autour de la soixantaine. De beaux restes, certes, mais des restes. Brune bien teinte coiffée court, ce qui n'a rien de déplaisant. Des rides aux coins des paupières et de chaque côté du menton. Sous le déshabillé, c'est un peu l'éboulement, je crains bien. Faut surtout qu'elle le garde. La seule ressource, la chahuter sous étoffe. Avec ce genre de conquête (fastoche), moins t'en sais, plus t'es peinard. L'imaginaire est la ressource de ceux qui manquent d'informations.

Elle va pour s'asseoir dans un fauteuil, mais je redoute que, de cette position, elle puisse apercevoir sa soubrette sous le plumard.

— Venez donc sur ce lit, douce amie ! rectifié-je.

Demande à un aveugle s'il veut une canne blanche ! La voilà qui s'y juche (c'est un pucier à l'ancienne qu'il faut escalader). Elle y prend une pose à la Madame Récamier qui ferait pouffer une forêt de saules pleureurs. Pourvu qu'elle se dessape pas, Mémé ! Naguère, j'ai eu un élan pour une dame sonnée en carats, une frivole, épouse d'un producteur. Devant son rentre-dedans outrancier, je suis allé lui rendre visite le lendemain. Elle s'est jetée sur moi, dès le hall, m'a caméléonné la menteuse, pompé comme un gin-fizz. J'avais un palonnier parallèle à mes godasses. Ce que voyant, elle m'a dit : « Allons vite dans ma chambre ! ». Tu l'aurais vue trottiner avec sa culotte qui l'entravait, ses cuisses et ses meules blanches veinées d'un bleu vilain ! T'aurais fait comme moi : demi-tour ! Elle gazouillait en ouvrant la marche au paf. Ça m'a permis à moi d'ouvrir la porte sans qu'elle entende et de dévaler les étages à cheval sur la rampe. En déboulant de l'immeuble, j'avais envie d'embrasser Paris sur la bouche !

On est con, parfois. On prend des risques inutiles. On aime se faire peur, côtoyer le danger, friser le ridicule, tutoyer le grotesque, frôler les pires complexes.

Là, je marche sur mon nœud, les gars ! Si je dégode, c'est la plongée dans l'humiliation !

Je pense à la bonniche hyperexcitée sous le dodo à impériale. Comme son cœur doit cogner fort à cette petite tourterelle. Elle doit pas en revenir de Madame ! Elle la croyait *out* depuis des lustres, la Baronne !

Cette perspective me porte. Je vais lui faire le coup de *la Jument verte*, Hermance. Un soliloque de sommier pour elle toute seule.

Mémère, c'est une gloutonne. Y a des monuments qu'elle s'est pas engouffré un membre de qualité. Tu la verrais me babiner le bolet ! A gros lapages de chienne affamée ! Elle plaintive en m'interprétant. Trémousse des antérieurs. Et tout à coup, tu sais quoi ? Non, j'ose pas te dire ! Ce serait pas convenable ! Comme dit Robert, y a des dames qui sortent de chez le coiffeur ! Faut pas les effaroucher de trop ! Qu'après elles vont clamer partout comme quoi l'Antonio passe les bornes.

Au plus fort qu'elle me gouzille le périscope à turgescence indo-européenne, voilà un remue-ménage léger. Froissement d'étoffes. Une forme délicate et blanche que j'aperçois à travers les jambes de Madame, placées en V renversé pour lui servir de base, retrousse le patronal déshabillé de la Rebuffade afin de lui dégager le raminagrobis. Et cette petite servante, si humble et peu informée des dépravations d'ici-bas, entreprend de glisser des doigts de harpiste le long de l'interminable raie de son employeuse, au grand dam de la dame.

Au début, figure-toi, égarée par ce qu'elle me module, elle croit que c'est une politesse de ma part, comme si je disposais de bras de deux mètres ! Elle en crie la bouche pleine, la chère femme. Et pourtant elle a été élevée dans les bonnes manières. Y a que lorsqu'elle sent frétiller un frais goujon dans son ornière détrempée qu'elle commence à se poser des questions subconscientes, Poupette. Mais elle est en plein déménagement sensoriel, la chérie. Alors les choses vont leur train, si vraiment je peux m'autoriser un tel à-peu-près. Je peux ? Merci, mon général. Dis voir, le cœur qu'elle met à l'ouvrage, soudain, Hermance, c'est à se demander si elle serait pas faite pour le gigot. Si sa vocation profonde ne serait pas dans cette discipline en rase-mottes ?

La vioque lui a filé par-dessus son cul le regard névrosé du coureur cycliste échappé qui guette l'hallali du peloton. Elle a reconnu sa bonniche, mais ses sens embrasés ont balayé sa stupeur. La jouissance prime le sens critique. Tout pourra se produire pour Hermance par la suite : le renvoi ou l'augmentation. Pour l'instant, Madame se régale. Elle continue de clamer sa satisfaction d'être autour de mon paf qui ressemble à un bulldog. La bonniche s'escrime sur sa déchirure en glapissant. S'agit-il d'une rébellion mal formulée contre le patronat ? Si oui, les pauvres sœurs Papin auraient mieux fait d'utiliser ce moyen pour lâcher leur vapeur !

J'entends toquer, pour la troisième fois à ma porte. Je veux récupérer mon corps, mais ces deux femmes en rut m'immobilisent. On entrouvre et voilà le sieur Rebuffade, en pyjama de zèbre, le regard si lourd qu'il lui pend sur les joues.

Il passe la tronche et voit la grappe que nous formons.

— Je crois que je dérange ! bougonne-t-il.

Il se retire, mais il ne s'agit là que d'un effet de théâtre, gag dit du double *look*, puisqu'il réapparaît avec beaucoup moins d'ensommeillement sur la frite. Cette fois, il « n'aperçoit pas » : il « voit » ! Quoi ? Sa dame rombière à quatre pattes sur mon lit, occupée à me briquer le chinois à l'encaustique de glandes, et sa soubrette, la dextre plongée jusqu'au poignet dans le gouffre qu'est la moniche de son employeuse et l'agitant comme une qui cherche à récupérer le courrier dans sa boîte aux lettres quand elle a oublié la clé ? Comme sa prise de somnifère a été forte, il se dit qu'il rêve, mets-toi à son infortunée place ! Donc il fait un pas en avant, puis deux.

Il croise mon regard :

— Du diable si j'y comprends quelque chose, m'avoue-t-il.

— La situation parle cependant d'elle-même ! objecté-je.

Il abaisse un brin l'arrière de son pantalon de pyjama pour mieux se gratter les fesses et questionne :

— Sans vouloir vous offenser, c'est votre queue que ma femme suce avec tant de fureur ?

— Vous ne m'offensez pas, rassuré-je, et elle non plus. Effectivement, il s'agit bel et bien de mon sexe.

— Et pendant ce temps, Hermance lui met la main dans la chatte ?

— Voilà toute la scène décrite, félicité-je. Vous deviez être costaud en composition française au temps de la communale.

— J'avais les meilleures notes, reconnaît l'ex-proviseur sans fierté excessive.

— Ça ne m'étonne pas, monsieur Rebuffade.

Il reprend :

— Ce que je ne m'explique pas, c'est pourquoi elles se livrent à ces gamineries dans votre lit ?

— C'est là que se trouvait ma queue, fais-je valoir avec cet esprit cartésien qui est l'apanage du Français.

A cet instant – fatigue ou pulsion nouvelle –, Hermance retire sa main des babines de la vioque et engage son frais minois d'adolescente mal terminée dans un endroit où le plus modeste des suppositoires renâclerait pour entrer. Cette nouvelle manœuvre est révélatrice de la soumission d'Hermance à celle qui ne lui donne, d'ordinaire, que son argenterie à fourbir. Médème Rebuffade en conçoit un si grand bonheur qu'elle laisse mon Pollux en souffrance pour gueuler magistralement combien c'est bon on on haoooo vouiiiii ! Ce qui attise la fougue juvénile de l'employée (six mille francs par mois, nourrie, logée).

Rebuffade murmure :

— N'est-ce pas cela, « feuille de rose », commissaire ?

— Tout à fait ; vous ne connaissiez pas ?

— J'en avais entendu parler par des élèves, déclare le vol-planeur, mais la chose me semblait tellement invraisemblable que j'ai cru à une fabulation polissonne.

Là-dessus, son épouse ayant dominé l'intensité

de l'émoi, réempare mon braque pour le gloutonner
derechef.

Rebuffade soupire :

— Quelle autorité aura ma femme sur sa domestique
après que celle-ci lui ait léché l'anus ?

— Elle en sera renforcée, promets-je. Autre chose
serait si ç'avait été Madame qui léchât le trou du cul
de son employée. Dans la circonstance, il y a complète
allégeance, voyez-vous, Edmond. Vous permettez que
je vous appelle Edmond ? Vous m'obligeriez en m'ap-
pelant Antoine.

— Trop aimable.

— Etait-il fréquent que Madame vous pompât ?
m'enquiers-je.

Il fait la moue :

— Grand Dieu non. Sans vous offenser, je réprouve
cette pratique que les animaux ignorent.

— Elle est cependant génératrice de volupté, assuré-
je. Je sens d'ailleurs que les efforts de Mme Rebuffade
vont obtenir gain de cause, peut-être serait-il opportun
que vous sortiez, Edmond, si vous ne voulez pas assis-
ter à la phase terminale de l'opération ?

Il a un rire de ventre :

— Du moment que ça n'est pas moi qui suis à votre
place, mon pauvre Antoine !

— Eh bien, en ce cas nous allons interrompre un
instant notre conversation, si vous le voulez bien, afin
que je puisse me concentrer.

— Je me tais, je me tais ! promet ce bavard.

J'ai encore suffisamment d'énergie pour suggérer à
Edmond :

— Le mignon fessier d'Hermance ne vous inspire
pas ?

— Du tout : beaucoup trop maigre à mon goût. Et puis je suis un mari fidèle, Antoine. Si je succombais à la tentation, j'en traînerais le cuisant remords jusqu'à la fin de mes jours.

Franchement, je ne sais pas ce que tu en penses, mais il est assez unique en son genre, ce mec !

Seigneur, Tes créatures m'épateront toujours !

Je procède sans à-coups à mon lâcher de ballons. La Rebuffade en est asphyxiée et glousse de bonheur et de surprise ravie devant la générosité de mes séminales. Longtemps qu'elle n'a pas été à une telle fête, la mère. Nuit de liesse ! Les folles soirées de Chalon-sur-Saône ! Comme c'est une opportuniste et une maîtresse de maison économe qui ne laisse rien perdre, elle profite de ce que ma virilité court encore sur son erre pour se mettre à califourchon dessus et s'emporter aux pâmades. Comprenant que ça va être scié pour sa pomme, la pauvre Hermance se bricole un solo de banjo express en caressant le dargif de sa chère patronne. Celle-ci choit, exténuée sur ma couche. Son mari vient l'aider à se relever.

— Allons, viens te coucher ! ordonne-t-il gentiment. Tu es bien avancée, maintenant !

Elle sourit et s'évente de la main. Mimique d'excuse, style « que veux-tu, je suis incorrigible. » Il hausse les épaules.

— Et vous aussi, Hermance ! dit-il. Au lit ! Vous avez suffisamment importuné monsieur ! Et demain, c'est le jour de la lessive.

Je reste seul avec ma joie de vivre et une certaine perplexité à propos du comportement des Rebuffade.

La pluie a cessé et une journée pâlement ensoleillée commence. Des brumes filandreuses courent au-dessus de la Saône.

Hermance a préparé des tartines croustillantes avec du pain de campagne genre Poilâne. Dix pots de confitures faites maison sont groupés dans une corbeille plate en osier. Ça sent bon le café du matin. Hermance s'affaire autour de la table, impavide ; à croire qu'elle n'a aucun souvenir des événements casanovesques de la nuit. Elle est plus placide que la grosse motte de beurre qui trône au milieu de la table cirée.

Les époux Rebuffade surgissent, briqués à neuf, parés pour la journée, souriants, voire radieux. Ils sentent la bonne eau de Cologne sans chichis.

— Je vais pouvoir voler ce matin, annonce Edmond. Avez-vous passé une bonne nuit ?

— Excellente ! affirmé-je avec un max de sincérité dans l'intonation.

— La pluie ne vous a pas réveillé ? s'inquiète l'épouse. Votre chambre est au nord et l'orage y est plus présent qu'ailleurs.

— J'ai dormi comme un bébé.

Elle me demande si je souhaite des œufs. Je lui réponds que j'adore trop les confitures pour ne pas me jeter sur les siennes.

Ensuite je prends congé. Edmond me propose de me conduire à l'aéro-club puisqu'il s'y rend et que je ne dispose plus de voiture.

— Oh! A propos, j'ai complètement oublié! sursaille-t-il.

— Oublié quoi?

Cette nuit, s'il a été réveillé c'était par la sonnerie du téléphone. Mon adjoint, l'inspecteur-chef Pinaud qui me réclamait. Il est donc venu frapper à ma chambre et puis nous nous sommes mis à bavarder et il a omis de me prévenir. Plus tard, quand il est rentré chez lui, le téléphone était toujours décroché, naturellement, mais il n'y avait plus personne en ligne. Alors il s'est couché avec sa fidèle épouse et s'est endormi du sommeil du juste.

Moi, ça me contrarie, ce coup de grelot manqué. Je lui demande la permission d'appeler l'*Hostellerie du Chevalier Noir* et, l'ayant obtenue d'un seul doigt, je réclame M. César Pinaud. Stupeur! La dame du standard m'apprend qu'il n'a séjourné que quelques heures à l'hôtel et l'a quitté très tard dans la soirée. Il a prié mon interlocutrice, pour le cas où un M. Saint-Antoine appellerait (et il appelle présentement), de lui dire qu'il rentrait immédiatement à Paris. Je réponds que « Merci beaucoup, vous êtes trop aimable » et repose une livre de matière plastique sur sa fourche d'acier.

Pourquoi Pinuche est-il si vite parti pour Paname, malgré mes instructions catégoriques? A cela je ne vois qu'une explication : il a dû téléphoner chez lui et apprendre une fâcheuse nouvelle nécessitant son rapatriement immédiat. Peut-être la mort de sa bourgeoise ? Il a tenté de me parler, mais à cause de la partouzette divertissante, son appel téléphonique a sombré dans les oubliettes. Talonné par le temps, la Pine s'est cassé.

Je compose le numéro de son domicile, mais personne ne répond, ce qui avive mes craintes concernant l'état de santé de l'épouse pinulcienne. Enfin, je verrai ça sur place.

En route !

C'est un endroit étrange qui ressemble à un petit théâtre désaffecté. Il y a un vaste podium en guise de scène et des rangées de chaises maintenues alignées par des barres de bois fixées à leurs dossiers. L'assistance est composée de garçons jeunes, accoutrés guerriers à la mords-moi-le-nœud. Des coupes de cheveux de Huns fourvoyés dans le siècle, poignets de force, vêtements de cuir, croix gammées et croix de fer (si je mens je vais en enfer).

L'homme au loup de velours noir les considère en reniflant son mépris. Un moment, il a songé à exiger de ses « soldats » des tenues plus civiles, mais il sait qu'il perdrait alors la majeure partie de ses effectifs. Ils ont besoin de faire joujou, de se créer une personnalité de carnaval. Sous leur accoutrement, ils se croient invincibles et forts. Donc, sans uniformes, pas d'armée ! Ces jeunes cons privés de leur accoutrement redeviendraient ce qu'ils sont : des loubards qui s'emmerdent.

Du doigt, il chiquenaude son micro. Ça produit un bruit d'orage ou de train entrant en gare.

— Mes compagnons ! attaque-t-il.

Magique ! Les rumeurs cessent. Une soudaine exaltation passe sur l'assistance. Ils ont besoin d'un chef, ces jeunes glands. D'un tribun qui les galvanise. Ils sont pleins d'un louche courage inemployé, d'un intense besoin de mal faire qui soit couvert par « une idée porteuse ».

— Mes compagnons ! Comme vous l'avez vu, de nouveaux actes de justice ont continué de déstabiliser les forces du pouvoir. Plusieurs macaques en rut ont été liquidés au moment où ils entraînaient des filles de chez nous à l'hôtel pour copuler bassement avec elles ! Nos effectifs de choc grandissent. Je veux vous signaler qu'un policier a rejoint nos rangs et qu'il y fait du bon travail. Bien qu'il garde l'anonymat, applaudissez ce fonctionnaire du chaos qui a compris où se trouvaient son devoir et le véritable service de la France !

Un tonnerre d'acclamations éclate, enfle, dure…

L'homme au loup doit l'apaiser de ses mains pleines de mesure.

Il se racle la gargane et reprend :

— La lutte va encore s'intensifier, à partir de demain. Les nids à rats de ces occupants loqueteux seront passés au lance-flammes. Par le feu, nous purifierons le pays en détruisant la vermine qui lui flanque la peste et le choléra. Je demande à ceux d'entre vous qui auraient, lors de leur service militaire, suivi une instruction concernant le maniement des lance-flammes de se faire connaître. J'ai du travail pour eux !

**

Assis dans le fauteuil du dirlo, mon veston accroché au dossier – ô crime de lèse-majesté ! –, je débonde le bigophone qui vient de tinter.

Le préposé de l'accueil me dit :

— Mme Mathias souhaiterait vous voir, monsieur le commissaire.

Oh ! que j'aime pas. Dans la liste des petites calamités, je la situe entre la chiasse verte et les coliques néphrétiques.

Que peut-elle me vouloir, cette infâme ogresse ? Cette impitoyable pondeuse de chiards qui a réduit en esclavage son mari et leurs enfants !

Je soupire, comprenant que je vis une période noire et qu'il faut l'assumer :

— Envoyez !

Pour asseoir mon autorité, si je puis dire, je remets ma veste. Ça clabote autour de moi. Je songe sans trêve la nuit chez les Rebuffade : la voracité de madame, le gentil cul un peu maigrichon de la bonne, la complaisance infinie de monsieur ; la manière qu'on discutait à bâtons rompus pendant que la mère Rebuffade me pompait l'asperge.

Elle entre sans frapper ! Je ne me souvenais pas qu'elle était si petite, ni si teigneuse. Ses grossesses nombreuses lui ont laissé un ventre de vache. Elle porte un jean défraîchi, une veste de couleur avec un grand châle à franges, dans lequel elle se drape frileusement.

Elle vient se camper devant le magistral bureau dont la solennité la laisse indifférente. Ses petits yeux en boutons de bottines 1900 lancent des lueurs de gyrophares.

— Où est-il ? me demande-t-elle durement.

— Qui donc, chère Angélique ?

— Xavier, mon époux !

J'ai les méninges qui déménagent.

— Comment, « où est-il ? ». Ici, je suppose.

— Vous l'avez vu ?

— Je rentre à l'instant d'une mission en province.

— Eh bien, il n'y est pas, ou bien fait répondre qu'il est absent.

Je tends la main vers le biniou et compose le numéro du labo. La voix d'une laborantine me répond. Tiens, ça se « féminise » là-haut ?

— Commissaire San-Antonio, lâché-je, passez-moi Mathias, le directeur.

Toujours faire mousser les potes aux yeux de leur mégère.

— Il n'est pas venu ce matin, commissaire.

— Il a prévenu ?

— Non, et nous sommes dans l'embarras parce qu'il avait une foule de rendez-vous.

— Dès qu'il se manifestera, dites-lui que j'ai un urgent besoin de le joindre.

— Bien, monsieur le commissaire.

— Vous êtes nouvelle ?

— J'ai pris mon service avant-hier.

— Votre nom ?

— Rosette Esperanza.

— Vous devez être très jolie avec un nom pareil.

— Je ne sais pas. Montez voir, à l'occasion !

Et elle raccroche ! Oh ! les filles maintenant, comment qu'on les fait !

La Mathias triomphe dans l'aigreur et le fiel.

— Décidément, cette maison est toujours un lupanar, grince-t-elle. Des femmes au labo, maintenant ! Et ce pâle salaud ne m'en avait pas soufflé mot, vous pensez bien ! Je vous présente sa démission, ne comptez plus sur lui désormais, il ne fait plus partie des cadres !

Je lui file le regard bienveillant qu'a la mangouste pour le serpent. Et dire que cette houri a été folle de moi ! Dire qu'elle m'a mêlé à des rêves érotiques !

Elle est belle, avec son bide arrondi sous son châle de tireuse de cartes, son visage infardé, ses petits yeux mauvais, sa bouche en boutonnière de pardessus !

— Sa démission, fais-je, il nous la présentera en personne ; même une radasse qui porte la culotte dans le ménage n'a pas qualité pour le faire à sa place !

Elle bondit :

— Vous m'insultez ?

— A huis clos et sans témoin, réponds-je, ça ne compte pas.

— Espèce de sale voyou ! C'est vous qui l'avez perverti, mon homme.

— Ah ! si cela pouvait être vrai ! Mais rassure-toi, Merde-en-branche, il est toujours aussi con et toujours sous ta coupe.

— Je m'en vais ! clame-t-elle. Vous savez que je m'en vais ?

— Mon rêve ! Tu pollues, môme ! Tu pollues ! Il va falloir que je laisse les fenêtres ouvertes pendant deux heures, après ton départ, comme pour renouveler l'air d'une pièce dans laquelle on a fumé quarante-cinq cigares ! T'es une putoise, la mère ! Tu schlingues.

Elle s'avance la main levée. Je crois à une simple menace, mais la beigne m'atterrit bel et bien sur le museau, cuisante à souhait !

— Eh bien ! Eh bien ! Que se passe-t-il ? demande le commissaire Mizinsky qui entre pile au bon moment.

— Commissaire, lui dis-je, vous venez d'être témoin

de l'agression dont j'ai été victime. Il y a flagrant délit.
Vous allez procéder à l'interrogatoire d'identité de cette
personne et la déférerez au Parquet ! Voies de fait sur la
personne d'un officier de police, c'est la prison ferme
assurée.

La Mère Michu, elle sait plus si c'est du lard ou du
bacon. Elle me regarde tandis que Jean-Paul Mizinsky
lui passe les menottes.

— Je rêve…, elle balbutie.

— Qu'est-ce qu'on parie que non ?

— Vous n'allez pas faire une chose pareille !

— Elle EST faite, madame Mathias. Regardez vos
poignets.

— Mais j'ai dix-huit enfants, dont l'aîné n'est pas
encore majeur[1] et dont le dernier est au berceau ! Ils
sont seuls depuis que leur père a disparu.

Au fait c'est vrai : la Mathias renaudait pour cette
raison. Je feins d'être vaincu par le poids de sa gigantesque maternité.

— Bon, on va passer l'éponge. Mizinsky, ôtez-lui ses
menottes.

II.

Alors, comme dans les films de chevalerie, Angélique se jette à genoux devant moi en implorant mon
pardon. Elle encercle mes jambes, pose son visage
inondé de larmes sur mes genoux, me baise les rotules,
les tibias, les péronés avec frénésie, remonte pour hono-
rer mon fémur (là, le singulier, car elle ne peut baiser les
deux simultanément), remonte encore jusqu'au taber-
nacle qu'est ma braguette, m'attrape avec ses dents, et

---

1. Elle a eu par trois fois des jumeaux.

à travers mes étoffes, le chauve à col roulé, le mordille voluptueusement.

— Bon, repos ! intimé-je en me levant.

Mon futal est barbouillé de pleurs, de salive et de morve. Mizinsky rigole sous cape. Furax, je vais me nettoyer le siège de l'amour-propre aux toilettes. Il est beau, le commissaire ! T'as l'impression qu'il a licebroqué dans ses harnais. On va croire que je fais de l'incontinence.

— J'ai un vieil imper dans mon vestiaire, me propose Jean-Paul.

J'accepte, et il va le chercher.

La pondeuse de lardons a retrouvé ses esprits. Elle hoquette sur gazon en essuyant ses yeux.

— Parlez-moi de la disparition de votre mari, Angélique.

Elle s'y met. Me raconte qu'au milieu de la nuit j'ai téléphoné au Rouquemoute.

— Moi ! sidéré-je.

— Oui, vous : j'ai décroché et reconnu votre accent. Là, je constipe de plus en plus de la comprenette.

— J'ai un accent, moi !!!

— Oui : parisien, fait en reniflant de mépris cette farouche Lyonnaise pour qui le véritable territoire français se limite à la région Rhône-Alpes.

— Vous êtes la première personne qui me le dit.

— Parce que les autres sont des fayoteurs !

Je passe.

— Or, donc, vous avez reconnu mon effroyable accent parisien, madame Cottivet[1]. Que vous ai-je dit ?

— Comme si vous ne le saviez pas !

1. Nom d'un personnage fameux du théâtre guignol. La mère Cottivet est une commère cancanière d'entre Rhône et Saône.

— Répétez-le toujours, pour l'harmonie de votre voix.

— Vous avez exigé que je réveille Xavier, prétextant que c'était gravissime. Je vous l'ai donc passé. Vous lui avez déclaré que vous aviez besoin de lui de toute urgence et que vous envoyiez une voiture le prendre en bas de chez nous. Il s'est habillé à la va-vite et il est parti sous la pluie. Depuis, je suis sans nouvelles de lui. J'ai eu beau appeler au labo : il n'y est pas. Pourtant je lui avais fait promettre de me téléphoner sitôt que possible !

— A quelle heure a-t-il quitté son cher foyer ?

— Une heure vingt-cinq ! Vous croyez que c'est une vie ?

— Ce n'est pas moi qui ai téléphoné.

Elle s'approche de moi en tirant sur sa paupière inférieure droite.

— Mon œil ! dit-elle.

Je regarde son œil.

— Un peu de conjonctivite, assuré-je. Vous devriez demander des gouttes oculaires à votre pharmacien.

Et la voilà repartie dans ses rognes, oublieuse de ce qui s'est passé précédemment.

— Vous ne vous en tirerez pas à si bon compte, commissaire ! J'en ai plein le dos de vos magouilles ! Je vais…

Alors là, elle m'entend. Je bondis du fauteuil en brandissant un énorme coupe-papier, dont le manche d'ivoire représente un chien basset couché.

Et je hurle :

— Taille-toi, Fibrome ! Sinon je t'enfonce ce truc dans le cul !

Elle se précipite à la lourde, bousculant Mizinski qui

radine avec l'imper promis. Continue sa sauvade dans l'escalier sonore en couinant.

Mon confrère est perplexe :

— C'est la femme de Mathias, cette guenon lubrique ?

— Hélas oui, mon pauvre Jean-Paul ; tu comprends pourquoi, maintenant, il n'hésite jamais à faire des heures supplémentaires ? Mais ce n'est pas le tout : il a disparu.

Je lui répercute les paroles de l'épousâtre du Rouillé.

— Et, bien sûr, ce n'est pas vous qui l'avez appelée au téléphone ?

— Parole d'homme !

— Donc quelqu'un est capable de si bien imiter votre voix que vos plus proches collaborateurs s'y méprennent ?

— La preuve ! C'est gai, non ?

Je murmure :

— Tu trouves que j'ai l'accent parisien, toi ?

— Je ne peux pas vous dire, commissaire : je suis de Villejuif !

Je lui souris.

— Du nouveau, de ton côté ?

Grimace de l'interpellé.

— Un Noir abattu sous le porche d'un hôtel pouilleux où il emmenait une petite salope blanche pour la tirer.

— Un mec a tiré plus vite que lui ? ne puis-je m'empêcher de jeu-de-moter.

Ça ne l'amuse pas, Jean-Paul Mizinsky ; c'est un policier sérieux, lui.

— Cette fois, la copine du négro a été épargnée, poursuit-il. J'ai pu obtenir le signalement du tueur :

il s'était habillé en boucher, ce qui est une bonne idée quand on fait ce métier. Plusieurs personnes l'ont vu s'enfuir à bord d'une auto où se trouvait un couple. J'ai fait exécuter son portrait-robot.

— Excellent ! Et tu l'as diffusé tous azimuts presse et télé, je pense ?

— Pas encore.

Je renfrogne.

— A quoi bon perdre du temps, Mizinsky ?

— J'ai pensé que c'était inutile, déclare mon collègue, tenez, voici le chef-d'œuvre.

Il tire de sa vague une photo format carte postale qu'il dépose sur mon sous-main.

Je l'examine et mon sang se glace.

Le portrait-robot est indéniablement celui de Bérurier, voire à la rigueur de son frère jumeau.

Mais Béru est fils unique.

Ils le sont tous dans la lignée des Bérurier !

CHAT CLOWN 11

Ça s'est passé il y a lurette, et peut-être davantage !

Un séjour en Bretagne. La veille de mon départ, j'ai acheté des homards à un pêcheur. Trois beaux futurs cardinaux pétant de vigueur. Le pêcheur me les a emballés dans une bourriche garnie de fougères après leur avoir bloqué la pince avec un élastique pour pas qu'ils se charognent. J'ai mis la bourriche dans ma chambre, devant la fenêtre ouverte et j'ai cru pouvoir dormir. Mais les trois compères menaient un raffut du diable dans leur panier d'osier. Je me disais qu'ils agonisaient et cette idée m'insupportait.

Les heures ont passé et leur ramdam est allé en s'affaiblissant. J'ai fini par en écraser. Au matin, ça bruissait encore dans la bourriche, mais faiblos. Après ma toilette, y avait plus qu'un frémissement sporadique et après mon petit déje fallait tendre l'oreille pour percevoir un reste de vie dans la fougère. Le silence se faisait total. J'ai eu alors une surprenante sensation de solitude, comme, comme si des potes venaient de me quitter pour toujours.

Pourquoi, après le départ de Mizinsky repensé-je

aux trois homards en question ? Pas exactement à eux,
mais au silence crispé qu'ils avaient laissé derrière
eux ? Le sol me manque ; c'est le trou noir et sans fond
du néant. Tous mes compagnons d'épopée ont disparu
de mon horizon : le Vieux, Jérémie, Pinaud, Mathias,
et Béru semble être devenu un tueur à gages nazi !

C'est le silence des homards qui les remplace.

Je fais un effort surhumain pour user du téléphone.
C'est chez Béru que je carillonne.

Je laisse sonner longtemps et une voix d'homme
essoufflé à l'accent italien éclate dans ma trompe :

— *Si !* Qué-ce qué c'est ?

— Alfredo ?

— *Si !* Ah ! *buon giorno*, commissaire.

— Béru n'est pas là ?

— Non.

— Et Berthe ?

Alfred éclate de rire.

— Et comment qu'elle y est ! Jé souis en plein
dedans !

— Ne débandez pas, Alfred, j'ai juste deux mots à
lui dire.

L'organe marqué par une imminente pâmoison de
Berthaga m'arrive du fond de l'extase.

— Ecoutez, Antoine, on est en train de bien faire,
moi et Alfred, vous pourreriez-t-il rappeler plus tard ?

— Ça urge, ma chère madone. Où est Béru ?

— Si vous pourreriez m'le dire, j'serais contente.
Voilà deux jours qu'il a quitté le domicile conjugable.

— A la suite d'une mésentente avec vous ?

— A la suite de rien du tout. Alfred, profite-z'en pas
pour m'sodomer, du temps qu' j'cause, je te prille ! Ah !
çui-là, quel opportuneur ! C'est des drôles de mariolles,

ces Ritals ! Qu'est-ce on disait ? Ah oui, non, il a foutu
l'camp sans esplicances. L'aut' jour, l'est rentré furax
cont' vous, comme quoi vous l'aviez... Comment ça
s'appelle la déguelasse boisson japonaise, Antoine ?

— Le saké.

— Voilà ! Comme quoi vous l'aviez saqué. Il flumi-
nait. Y disait, à propos de vot' sujet : « C'grand con... »
Je m'escuse, Antoine, j'fais qu'rapporter ses paroles...
« C'grand con l'aura voulu. S'il né veut plus de moi,
d'autres en veuilleront. Il a qu'à aller vive en Afrique
pisqu'il raffole tant les négros ! » Mais arrête, nom de
Dieu, Alfred ! Ou alors mets d'la vaseline, t'sais bien
qu'j'sus t'étroite du goulot !

— Et vous n'avez pas d'idée quant à l'endroit où il
peut être ?

— Pas la plus légère d'la moindre, Ant...

Cri géant de la Bérurière :

— Oh ! ça y est ! Ce con m'a fait craquer la bagouze.
C'est ben la flemme d'aller chercher de la vaseline, vous
m'direz pas ! Avec ces pioustres, faudrait avoir l'recteur
large comme l'entrée du tunnel d' Saint-Cloud. Y s'en
foutent de vous faire partir l'ognon en copeaux ! Si on
pratiquait en sauvages, nous aut' femmes quand on leur
serre le contre-écrou, vous les entendriassiez gueuler
au charron ! Des brutes, quand ils vous entreprendent,
des mauviettes lorsqu'on leur cigogne de trop la poupée
Barbie. Notez, Antoine, y a pas que les Ritals : tous les
hommes !

« J'voudrais en rencontrer un qui soye délicat, n'
serait-ce-t-il que juste pour une fois. Un qui m'câli-
nerait la poitrine avant de me sucer les cabochons ;
j'm'y croive parfois. Un garçon bien dans vot' genre,
Antoine, j'peux vous l'avouer. Des bisous sur les

nichebars, avec un doigt délicat dans l'ognasse, bien beurré au prélavable et avec l'ongle coupé court.

« J'en ai connu un, si : M. Albert qui faisait clerc chez un notaire. L'avait toujours l' doigt du milieu rogné nickel pour les attouchements postérieurs. Un velours. Y vous l'introduiserait en vrille, c'était charmant. On sentait l'éducation. Il était centriste chrétien, comme M. Baudis que je raffole sa belle gueule et qui doit vous piquer à la langoureuse entre deux chapelets, je lis ça dans ses beaux yeux bleus.

« Et voilà ! Ça y est ! Mon Alfredo s'est défromagé l'entresol pendant qu' je cause. Et puis alors pas qu'un peu ! Avec cézigue, ça floconne dur, espérez ! C'est la grosse tempête d'atitulde. Faut qu' j'allasse me décamoter la fonderie, Antoine, sinon, c'est la Berezina pour mes draps dont je viens juste de les changer le mois dernier !

« A propos du sujet d'mon gros lard, l'premier d'nous deux qu'a des nouvelles appelle l'autre, jockey ? Si à l'occasion vous passeriez dans le quartier, Antoine, montez me dire un petit bonjour, j'vous ferais un café Grand'mère. »

Je raccroche sur une vague et fallacieuse promesse, laissant le couple à ses félicités.

Voilà que je me mets à séjourner dans le bureau du Vioque. Une autre manière de considérer les choses. C'est la dunette du commandant, comprends-tu ? Malgré ma profonde détresse, proche du découragement, je me sens lentement investi par la qualité de l'endroit. Ici, l'on pense différemment, on considère les événements de plus haut.

Je me prends par la main et m'emporte au labo.

Cette disparition de Mathias ne me dit rien qui vaille. J'aime pas qu'on contrefasse ma voix. Désillusion : je la jugeais inimitable !

C'est pas du tout un endroit froid et hostile, malgré son nom évocateur de murs revêtus de carreaux blancs et d'instruments bizarroïdes. Le genre, c'est plutôt vieux bois vernissé par le temps, grosses lampes à abat-jour verts, grandes vitrines le long des parois. Et puis, bien sûr, la cohorte des microscopes, des bacs de faïence, des flacons. Ah ! les flacons ! Des grands, des gros bien ventrus, des petits à bouchon de verre compte-gouttes, des bruns qui ne laissent rien voir de leur contenu, des à étiquettes noires, des carrés, des pointus, des bleutés, des avec une tête de mort dessus, des que c'est écrit en latin, des qu'ont l'air pleins de pisse. Et puis des cornues, des pipettes, des récipients coniques, à pied.

Une enfilade de pièces du même tonneau qui prennent le jour gris de Pantruche par de hautes fenêtres aux vitres dépolies du bas. Ça pue le chimique et le grimoire. Ici, tu peux louffer en douce : pas vu, pas pris !

En déboulant dans ce sanctuaire, j'avise *Herr* Doctor, le principal collaborateur de Mathias, ainsi surnommé parce que c'est un Asaleo blond paille, portant des lunettes à monture d'or. C'est un pensif, un chercheur passionné par son turbin.

Je lui en presse cinq. Il a l'air abattu du savant qui a raté le Nobel.

— Toujours pas de nouvelles de Mathias, *Herr* Doctor ?

— Non, rien.

— Inquiétant, non ?

— Très.

— Je lui avais confié du boulot; vous êtes au courant?

— Que vous lui avez donné du travail, oui; mais j'ignore de quoi il retourne. Lorsqu'il s'agit de boulonner pour vous, il est d'une jalousie de tigresse.

— Il a bien ses dossiers quelque part dans son bureau, il faut que j'y jette un œil.

— Regardez, mais vous ne trouverez pas grand-chose. En rentrant chez lui hier soir, il était chargé comme un baudet. Je lui en ai fait la remarque et il m'a répondu d'un air jubilatoire qu'il emportait du travail chez lui pour dresser un rapport qui allait vous laisser baba!

Il a dit ça, le bon Rouillé? Je pige pourquoi on lui a demandé de sortir.

— Soyez gentil, *Herr* Doctor, téléphonez chez lui et demandez à sa mégère inapprivoisée s'il a laissé ses dossiers à la maison ou bien s'il les a pris avec lui pour sortir. Je vais dans son antre.

Pas triste, l'antre en question. Certes, c'est celui du Professeur Tournesol, mais une présence l'éclaire : celle de la toute nouvelle assistante. Elle m'a conseillé de monter voir à l'occasion si elle est jolie. Charogne! Elle mérite plus que le détour : le voyage! Illico je sais qu'elle est « mon genre ». Figure-toi une fille d'environ vingt-cinq ans, châtain clair, avec une peau délicate semée de minuscules taches de rousseur (ce piment de la peau). Des yeux uniques que, selon les éclairages, on doit décrire comme étant bleus, noisette ou verts! Une poitrine modeste, mais bien accrochée, un corps que les veillasses de jadis auraient réputé « bien pris », des jambes racées sans être freluques. On devine une fille solide, à l'intelligence vive et à l'ironie sans cesse en veilleuse.

Elle me sourit et ça fait comme quand tu prends l'éclat d'une vitre ensoleillée dans les vasistas.

— Ravi, lui dis-je en présentant la plus jolie de mes deux mains. (J'ajoute :) Commissaire San-Antonio.

Elle met dans ma pogne sa menotte douce et ferme.

— Rosette Esperanza, riposte-t-elle. Ainsi c'est vous, l'as des as ?

— Cela dépend des jours et du régime que je suis. Merde, qu'est-ce je vois : une alliance ! Et moi qui allais vous proposer de dîner !

— Tout comme une hirondelle, une alliance ne fait pas le printemps, monsieur le commissaire. Je suis divorcée.

— Déjà !

— J'ai découvert que mon mari était homosexuel.

— Si vous ne l'avez pas fait rentrer dans le droit chemin, c'est qu'il est perdu pour la cause au sein de laquelle je milite !

Elle se marre de nouveau rechef, comme on dit puis à Bourgoin-Jallieu.

— Vous n'avez pas de bol, mon chou, reprends-je. A peine entrée dans cet auguste club, voilà votre dirlo qui disparaît ! Il travaillait pour moi.

— Oh ! je le sais : il ne cessait de s'en vanter.

— *Herr* Doctor m'apprend qu'il a emporté hier tous ses dossiers du moment chez lui ?

— Exact. Il m'a confié qu'il avait découvert des trucs explosifs et que vous alliez – passez-moi l'expression, elle est de lui –, prendre un pied terrible.

— Ce qu'il a découvert, d'autres peuvent le découvrir, chère Rosette. Faites-moi plaisir, compulsez toutes les notes qu'il aurait pu accumuler, voire même balancer à la corbeille. Essayez de les collationner, de les faire « parler ». Vous m'apporterez les résultats de vos recherches ce soir à vingt heures au *Fouquet's*, nous les potasserons en dînant.

— A vos ordres, monsieur le…

— Appelez-moi Antoine !

— Déjà ? fait-elle avec une exquise friponnerie au coin des prunelles.

— La vie est si brève, nous n'avons pas de temps à perdre.

Je dépose ma paire de lèvres sur la paire de siennes, très vite, en camarade. *Herr* Doctor qui vient d'entrer tousse, comme le tonton à Fernand.

— Pardon de vous déranger, murmure-t-il. C'est simplement pour vous dire que je viens d'avoir la femme de Mathias au téléphone. Effectivement, il a emporté ses dossiers avec lui cette nuit.

— Ça ne fait rien, rêvassé-je. Tant qu'à être dans la merde, il vaut mieux s'y immerger complètement ; le bonheur d'en sortir sera d'autant plus grand.

C'était pas des normaliens, mais des Maliens normaux. Du nord ! Maliens.

Ils étaient trois à faire chauffer une gamelle commune sur un chantier, entre quatre briques. Ce qu'il y avait dedans, vaut mieux pas en parler. Un de chez nous qui se nourrirait de « ÇA », pleurerait en le mangeant et sangloterait en le déféquant. Je suis scato dans l'âme. Et pourtant je me lave les mains après avoir chié, donc c'est guérissable, mon cas, non ?

Je t'en reviens : trois Maliens, normaliens, du nord Le chantier était pour l'instant une démolition. En général, un chantier c'est quand on bâtit. Mais pour bâtir, faut démolir, de nos jours où c'est plein partout.

L'un était grutier, et ses deux compatriotes aides grutiers. Le contremaître et les autres hommes (Européens) de l'équipe étaient partis se restaurer ; tu sais où ? Au restaurant. Y en avait justement un pas chérot le moindre à deux pas, rue du Maréchal-Bernique. Pour dix francs, tu avais : hors-d'œuvre variés, entrecôte-pommes frites, fromage, compote de fruits. Boissons en sus ! Mais hein ? Bon. Et la serveuse : une grande Polak rousse se laissait palper la motte. L'ennui, elle avait une écœurante excroissance de chair à l'intérieur de la cuisse, pas loin de la chatte. Chacun se demandait ce que ça pouvait être. Ils lui caressaient néanmoins la moulasse parce que, pour un menu à dix points, on ne peut pas, en supplément, te donner à trifouiller dans la culotte de Lady Di, quoi merde !

Et je me suis éloigné des Maliens à la gamzoule malodorante.

Ils s'asseyent en rond et en tailleurs (en tailleurs qui prennent du rond ; dis : sans moukère faut composer avec Dame Nature, comme disait mémé) autour de leur chiche brasier. Le bois de chantier est toujours humide à Levallois. Ils ont une espèce de galette chacun et se mettent à piocher dans l'infâme ragoût accommodé avec on ne sait plus trop quel animal mort, fortement pimenté.

Et puis voilà une bagnole qui pile devant la grande brèche de la palissade jaune sur laquelle des enfants de salauds on écrit en gigantesque et en noir-goudron : « Les cons sont parmis nous ». Ils ont mis un « s » à parmi, mais je crois pas qu'il en faille un, je regarderai sur mon Bescherelle.

Un gros type sort de l'auto. Il porte un pull troué à col roulé, un chapeau de feutre limoneux comme la pierre d'un lavoir public somalien, et il tient un fort calibre à la main. Le voilà qui s'avance vers le trio. Les Blacks le regardent surviendre sans s'émouvoir. Ils n'ont même pas remarqué la pétoire de l'arrivant. Faut dire qu'avec son silencieux, elle a plutôt l'apparence de quelque chose d'utile, tel qu'un outil, tu vois ?

Le gros se plante devant les Nord-Maliens. Il lance, joyeux :

— Salut, les négros ! Elle marche l'appétit ?

Il obtient trois grosses tranches de noix de coco, tellement ça les fait marrer, l'apostrophe, ces gentils.

Le gros type avance son poing armé dans le dos de celui qui est devant lui et tire à deux reprises. Le gars se couche à la renverse, malgré l'impact arrière, comme un pique-niqueur qui a trop bouffé et qui confie sa digestion à l'herbe tendre du sous-bois. Chose surprenante, ses potes n'ont pas de réaction de panique. Fatalisme ? Inconscience ? Ils suivent les faits et gestes du gros type sans s'émouvoir, presque avec curiosité.

Pan, pan ! Le second, lui, tombe sur le côté. Le troisième, mitraillé en pleine poitrine, part en arrière, comme le premier, mais là, ça s'explique.

L'exécuteur souffle sur sa lampe à souder. Puis il pêche un morceau de quelque chose dans la gamelle, juste pour goûter. Dégueulasse. Il recrache, furax.

— Ces fumiers de niaques, c'est des bouffeurs de merde au vitriol ! déclare-t-il en regagnant la voiture.

Il se met à chanter une chanson dans laquelle il est question d'un matelassier. L'œuvre évoque un cardeur, qui carde jusqu'à son dernier quart d'heure ! Ça n'a l'air de rien, mais c'est très drôle. Tu te rends compte ? Le cardeur jusqu'à son dernier quart d'heure ! Hilarant, non ?

Mon futal est sec, mais je passe néanmoins l'imper que m'a prêté Mizinsky parce qu'il pleut. C'est bête, non ?

Je me rends à l'hosto dont le dirlo est le beauf de Mathias.

Chacun aimant à montrer ce qu'il possède de mieux, il est tout heureux de me faire visiter sa morgue moderne. Dans un luxueux casier de marbre, July 2 repose, nue, dans un bac métallique coulissant. Un jour, étant reçu à Bruxelles par le fameux directeur de galerie Isy Brachot, j'eus la surprise de me trouver nez à nez dans son salon avec une fort jolie dame entièrement dévêtue et qui me souriait d'un air engageant. C'est au moment de la saluer que je m'aperçus qu'elle était en chlorure de vinyle (ou un truc comme ça). Ma convoitise spontanée s'éteignit pour faire place à une déconvenue teintée de mélancolie.

Ce que je ressens, à cet instant, procède de la même démarche mentalo-sensorielle (menthe à l'eau sensorielle). Sa nudité et sa grâce m'appâtent (ma pâte), la mort me fait disjoncter. Je l'examine en détail, nonobstant ma gêne répulsive. Je constate que Mathias a prélevé ses empreintes digitales, palmaires et dentaires. Il a sectionné une mèche de ses cheveux, une autre de ses poils pubiens. Lui a coupé les ongles. Bref, c'est l'investigation de grand style avant celle, plus poussée, du médecin légiste.

Que suis-je venu chercher auprès de cette pauvre morte? La fraîcheur du lieu m'incite à remonter le col de l'imper et à mettre mes mains aux poches. Dans celle de gauche je sens une clé. Pourvu qu'elle ne fasse pas défaut à Mizinsky; j'espère que son obligeance à mon égard ne va pas le contraindre à dormir sur son paillasson.

Je sors la clé. Elle est courante, dentelée, brillante. Un bout de chaînette de deux centimètres la lie à un disque de plastique frappé de caractères en relief. Je lis : *Hôtel du Roi Jules*.

Je fais signe au dirluche qu'il peut remettre sa viande froide au congélateur. La môme July 2 disparaît avec son énigmatique sourire. Tu vois, j'ai bien fait de lui rendre visite. S'il n'avait pas fait si froid chez elle, je n'aurais pas mis mes mains au chaud.

— Et ses vêtements? demandé-je à mon mentor.

— Xavier les a emportés pour examen.

J'opine comme un cheval.

— C'est bien. Pardon de vous avoir dérangé.

Ma 500 SL blanche brille sous la flotte car il y a un disquaire en face qui crache de la luce en pagaille! Au moment d'y prendre place, j'ai comme une notion de péril; non, pas exactement de péril, il s'agit plutôt d'une mise en alerte. Mon *security system* qui se branche. Je lui fais confiance et démarre peinardos, avec l'appréhension que m'éclate une bombinette sous les miches. Mais tout se passe bien.

Au bout d'un peu, grâce à mon œil infaillible, je repère dans mes rétroviseurs extérieurs une petite

Honda rouge pompier qui me filoche. Ma pomme, avec mon bolide, si je veux, je champignonne à mort et la Honda disparaîtra de ma vie. Mais j'ai un autre projet.

Je sors mon bigophone de la boîte à gants et compose le numéro du Central gérant la circulation. Me fais connaître en annonçant mon numéro de code. J'explique le topo. Rien de plus simple : il s'agit pour eux de dépêcher une voiture banalisée sur mon itinéraire. Quand ils auront retapissé la Honda (j'ai pu relever à l'envers son numéro de plaque), ils auront un accrochage avec elle pour la stopper. Si elle n'obtempère pas, ils la courseront. Il faut qu'il y ait une altercation entre le conducteur et eux de manière à ce qu'ils puissent l'emballer. Ensuite j'irai les rejoindre.

C'est parti. Je ne raccroche pas afin de rester en ligne et pouvoir ainsi donner ma position de temps en temps. Je roule dans des quartiers propices à une telle opération. Mon ange gardien continue sa filoche, imperturbable. Un vrai pro ; il se joue de la circulation et me conserve en point de mire. Son aisance est déconcertante ; cela dit je ne fais rien pour lui compliquer la tâche.

Nous roulons maintenant sur le boulevard Saint-Marcel, aux Gobelins. J'enquille la petite rue Jeanne-d'Arc et aussitôt, je pige que c'est ici que les Athéniens s'atteignirent. En effet, je vois débouler une bagnole d'un vilain bleu violâtre ; une Ford un peu cabossée, me semble-t-il, avec deux gaziers à son bord. La caisse en question met son cligno pour doubler la Honda, mais elle se rabat trop rapidement et en défonce l'aile avant. Mes lanciers du Bengale se sont arrangés (du moins celui qui pilote) pour couper la rue à l'hondaïste. Je continue jusqu'à la rue suivante, m'y engage, monte sur un trottoir et coupe le contact pour retourner guigner la suite du rodéo au carrefour.

Ça dégoise véhément, espère ! Le conducteur fait un foin pas croyable. Je l'entends d'ici. Il traite les perdreaux « d'enculés de leurs mères », de « manches à couilles », « de foies blancs » et puis encore d'autre chose que je ne saisis pas bien. Et alors, écoute ! Non, mais écoute, bordel ! Dégage tes cages à miel si elles sont bourrées de cire ! Voilà qu'il remonte dans sa Honda à l'aile défoncée et qu'il décarre *sans que les deux flics ne fassent un geste pour le retenir !*

On croit rêver, non ?

Je me rabats en vitesse jusqu'à mon char immaculé. Me penche sur son coffre, l'imper écarté pour le masquer. La Honda poursuit sa route dans la rue Jeanne-d'Arc.

Je fonce alors, coudes au corps sur les lieux du sinistre. Mes malheureux chose-frères balaient le verre brisé saupoudrant leurs sièges. Ils sont piteux.

— Merci pour votre intervention précieuse, les gars ! Je ne vous avais pas demandé d'emballer ce zouave ?

Le gros Lulu qui porte une blouse grise sous sa canadienne bredouille :

— On ne pouvait pas, monsieur le commissaire, non, franchement, on ne pouvait pas !

— Et pourquoi ne pouviez-vous pas, s'il vous plaît ?

— Parce qu'il est commissaire à la D.S.T. et que c'est nous qu'on lui a rentré dedans !

CHAT CLOWN 12

Là, je peux te dire que le silence des homards s'épaissit. Se propage. J'entends très faiblement le bruit de la circulation. Me semble être enfermé dans une boîte à bijoux capitonnée de velours grenat. Car je vois rouge ! Je me dis familièrement : « Mais, saperlipopette (et il est rarissime que j'emploie un mot aussi grossier), que t'arrive-t-il, mon grand ? Pourquoi tout s'effondre-t-il autour de toi ? » Je marche sur un pont qui s'émiette derrière moi, au fur et à mesure que j'avance. Y a de quoi devenir dingue, non ?

Je cherche du secours en téléphonant depuis ma tire. Une série de coups de grelots dans la foulée. D'abord m'man. Une bonne nouvelle : tout baigne à Saint-Cloud. Elle prépare une quiche lorraine pour mon inspecteur qui la protège et Maria s'est remise de ses émotions. Voilà au moins un point positif. J'appelle ensuite chez Pinaud, mais ça ne répond toujours pas. Puis chez Mathias, ce qui redéclenche son ogresse-pondeuse qui me vocifère l'absence de son rouquin ! Je coupe fissa le contact. Ensuite je me rabats chez Béru, bien que j'y aie téléphoné à peine naguère. Berthaga en

ligne. Elle fredonnait *Les Roses Blanches* en dégou-
pillant son cornet à conneries et se croit obligée de
terminer le refrain avant de répondre. Ça donne :

— *Ô ma jolie maman…* Oui, j'écoute ?

— Encore moi, Berthe. Toujours pas de nouvelles de
votre tas d'immondices ?

— Toujours pas, Antoine. Mais pourquoi vous ne
viendez pas l'attendre z'ici ? Alfred est parti et j'ai reçu
du jambonneau en boîte, de Toulouse.

La voix est prometteuse ; mieux : ensorceleuse. Je
me sens gagner par l'envoûtement.

— Impossible, ma belle, j'ai trop à faire, hélas !

— Dommage, vous me l'auriez pas regretté. Dites,
est-c' qu' vous croiliez que Jacques Chirac a une grosse
queue ? On se demande, avec un nez pareil.

— Je la lui souhaite, Berthe.

— J' sus t'en train de regarder sa photo dans *Paris-
Match* : il est bel homme.

— Eh bien, mon Dieu, écrivez-lui votre admiration,
Berthy. Il ne faut jamais taire sa passion à celui ou à
celle qui la provoque.

— Vous pensez qu'il me répondrerait ?

— Si vous joignez votre photo à votre lettre ainsi
qu'un timbre, sans aucun doute.

Je vais pour raccrocher. Mais me ravise :

— La disparition de Béru ne vous alarme pas ?

Elle pouffe.

— Combien de fois t'est-ce il est parti sans rien me
dire ! L'est toujours revenu, ce veau !

— Il n'a rien emporté de particulier ?

— Qu'est-ce vous entendez-t-il par là, Antoine ?

— Il a des armes à la maison, crois-je savoir.

— Et v'voudriassez qu' je vérifiasse ?

— Volontiers.

— Bougez pas : elles sont dans la desserte d' la salle à manger, av'ec notre argentrerie d' famille. Y les nettoyait la s'maine dernière encore.

Elle va pour me laisser et, se ravisant :

— Y a un autre homme dont j' me demande s'il l'a chouette, c'est Jean Dutourd que j' lis ses papiers dans *France-Soir*. Sa photo, j'arrête pas de la regarder ; dommage qu'elle soye si petite…

— Peut-être pourriez-vous la faire agrandir ?

— Ça flouze, à l'agrandissage, objecte l'Ogresse.

— Mais ça gagne en mystère.

— Si j' vous dirais, M'sieur Dutourd, je lui imagine un braque long et racé, Antoine ; moi, un garçon qui m' plaît, automatiqu'ment j'lui suppose la bite ; c't'une marotte. Pour vous r'venir à M'sieur Dutourd, j'frissonne à l'idée qu'y me tiende dans ses bras un jour. C't'un aristogratte, faut conviendre. Et sa jolie moustache bien taillée, dites, vous vous rendez compte l'bonheur qu'elle peut donner à une femme ?

— Tout à fait, assuré-je. Cela dit, vous voulez bien vérifier ce que je vous ai demandé, ma chérie ?

Stimulée, elle abandonne le combiné. Je perçois, peu après, un bruit de ferraille : l'argenterie des Bérurier qui se fait la malle du vaisselier. Quelques jurons viragoyesques m'atteignent les conduits. Je perçois :

— Qu'est-ce y vient m'faire chier, c'tenculé d'merde, bordel ! Ah ! ces poulets de mes fesses, j' commence d'en avoir plein les miches !

Du temps s'écoule. La Grosse s'est tue. Elle manipule des objets métalliques. Elle doit compter ou évoquer car elle marmonne.

Puis, retour en ligne :

— Z'êtes toujours là, mon p'tit t'Antoine ?

— Eperdument, mon Exquise.

— Vous êtes capab' d'vous rappeler ce gros pétard noir, avec une lampe à souder vissée au bout, que Mathias avait mis au point, y a quèques années pour une opération dont vous entrepreniez en Angleterre, vous et mon Gros ?

— Tout à fait.

— Ben celle-là, j'la trouve pas. Sinon, y a son broveninge de jeune homme, son colt du dimanche, sa mitraillette pliante pour le campinge, son Luger de cérémonie et son Beretta de tous les jours.

— Merci, Berthe.

— Ecoutez, Antoine : c'est pas pour avoir l'air d'insister, mais si vous passeriez à la maison, j'vous certifille qu' vous le regrettereriez pas. J' m'sens dans une période ardente.

Je l'entends clapoter des labiales, comme un vieux Rital en train de bouffer ses spaghettis.

— Je vais essayer, Berthe, mais je ne promets rien. En attendant, écrivez à Chirac et à Dutourd.

Elle exhale un soupir d'inaccessibilité résignée.

— A Chirac, souate ; mais comment voulez-vous qu'j' écrivisse à M'sieur Dutourd ? Il est de l'Agadémie française !

Comme je me pointe au *Fouquet's*, je l'aperçois qui cherche à caser sa petite tire sur l'avenue George-V. Il manque vingt-cinq centimètres au créneau sur lequel elle a jeté son dévolu, mais les gonzesses n'ayant pas le sens de la mesure, elle s'obstine. Alors je vais à elle et ouvre la porte avant droite de son véhicule léger.

Comme elle torticolait dans le sens contraire, elle réagit mal :

— Non, mais dites donc !

Et puis elle me retapisse et son joli visage allume ses lampions.

— Ne vous escrimez pas, Rosette. D'abord parce qu'il est impossible d'insérer votre voiture dans ce maigre espace, ensuite parce qu'il y a contrordre : je vous emmène dîner ailleurs.

— Ah bon ? Où ça ?

— Une exquise hostellerie de Saône-et-Loire.

Elle incrédulise à pleines rétines.

— En Saône et…

— Loire, oui. Direction Issy-les-Moulineaux, un hélico nous attend. Vous n'avez pas peur de l'hélicoptère ?

— Mon père prétend que c'est une pierre à hélice. Il dit que si l'hélice cesse de tourner…

— Tout comme lorsque notre cœur cesse de battre, ma puce ! Il faut faire confiance à la technique, comme nous faisons confiance à la nature.

Elle se marre et adopte sans hésiter l'itinéraire que je lui prescris.

Moi, sans blague, elles commencent à m'amuser ces vadrouilles à Chalon-sur-Saône. Depuis quarante-huit plombes, je ne fais plus que ça.

Tandis que notre « pierre » volante (et qui n'amasse pas mousse) se hâte à tire-d'hélice dans un ciel plutôt clair, je me remémore les précédents trajets : le premier avec July 1, retour avec July 2 ; le second avec Pinuche, retour solitaire ; le troisième avec Rosette Esperanza, reviendra-t-elle avec moi ?

— Vous savez que c'est la première fois que je voyage ainsi ? murmure-t-elle.

— Peur ?

— Pas avec vous !

C'est très simplement dit. Ça mérite un patin roulé, non ? Oh ! la douceur de ses lèvres. L'exquiserie de sa bouche au souffle parfumé. Ah ! elle bouffe pas du munster, cette petite ! Non plus que de l'oignon, cette infamie potagère !

Un baiser, ça paraît tout simple, tout bête, mais il est difficile d'en fignoler de très réussis. Pour exécuter un superbe baiser, il faut l'élan réciproque, évidemment, le désir à fleur de peau. Et puis il est indispensable que s'en dégagent un goût suave, une humidification subtile, une tiédeur animale. Pour bien embrasser, tu dois oublier que tu respires, te démerder avec ton seul nez, spontanément. Transmettre lingualement ta sensualité, voire ta sexualité. Un baiser ça se donne et ça se déguste. Il commence menu, puis s'élargit à l'infini, jusqu'à bouffer la gueule de l'autre.

Nous, à je ne sais combien d'altitude, on performe, mon pote ! On confine au grand art ! Illico, je sens que j'aborde au rivage d'un grand amour, avec Rosette. Ça ne va pas être du bâclé, le côté « appelle-moi un de ces jours, on prendra un pot » ! On va lui en livrer des fleurs, à cette exquise ! Pas les brassées de roses théâtrales, mais les « arrangements printaniers », ronds et ourlés de papier-dentelle. Accompagnés de messages dégoulinant de passion.

Là, je suis parti pour la gloire ! C'est pas demain que j'irai la tirer, la nouvelle épouse de Paul Audère. Qu'elle morfonde sur son cul brûlant, cette salope ! Ou qu'elle s'engloutisse le livreur de chez Nicolas, pour tromper le temps et son mari.

Un baiser pareil, tu vois, y en a qui dard-dard palucheraient le réchaud ou l'avant-scène de la petite. Que voudrais-tu qu'elle objecte, Rosette, tel que c'est parti ! Mais Bibi, oh ! que non ! L'amour rend gentleman. Je vais pas la cramouiller sur une banquette d'hélico, sans charre ! Faut que la retenue soit de la partie, mon kiki. Rebelote à la menteuse, enlacement des doigts, genoux farouchement pressés l'un contre l'autre, mais ça s'arrête là. Et l'enchantement se trouve renforcé, mille fois plus que si elle me colimaçonnait le bénouze en m'extrapolant Popaul pour lui faire prendre patience. Un baiser de ce calibre, t'as compris que tu as toute la vie pour le couronner empereur et que, plus t'attendras, meilleur ce sera.

Le vieux père Rombier, l'ancien acrobate des airs, est encore dans son estanco malgré la tardiverie de l'heure.

Il m'accueille comme si j'étais son fils de retour de la guerre du Golfe.

— Décidément, vous avez un abonnement sur la ligne ! il s'exclame.

— Quelque chose comme ça, monsieur Régis.

Je procède aux présentations. Il me fait signe dans le dos de Rosette qu'il la trouve « nickel ».

— On m'a livré une bagnole ? enquiers-je.

— Figurez-vous que l'agence de location a été mise à sac par la foire exposition. Mais vous tracassez pas, je vais vous driver où vous voudrez ; ma vieille 404 est encore fringante.

Moi qui adore l'ancien : le style haute-époque, les statues romanes, Line Renaud, le Palais des Papes, je tombe en extase devant le *Chevalier Noir*. Un bijou, ce castel ! Du Louis XIII dans toute sa grâce. L'Anglais qui en est tombé amoureux mérite bien d'habiter la France.

Régis Rombier stoppe devant le porche et ouvre galamment sa portière à Rosette. Après quoi, il tire du coffiot de sa poubelle la mallette dont je me suis muni pour la vraisemblance.

Quand je le rejoins, à l'arrière de l'auto, il reste pantois.

— Mais qu'avez-vous fait ! s'exclame-t-il en chuchotant, les deux actions n'étant point incompatibles.

— Frégoli ! plaisanté-je. Une moustache, une casquette, des lunettes, et un autre homme surgit. Sommes-nous peu de chose pour avoir si peu à faire quand nous cherchons à modifier notre apparence ! Et sur mes fafs d'occasion je m'appelle Cartier, comme celui qui prit possession du Canada. Je suis antiquaire à Paris !

— Ça, c'est de l'acrobatie dans son genre, assure Régis. Bon, quand vous voudrez repartir d'ici, vous n'aurez qu'à me téléphoner, soit au club, soit chez moi, et je viendrai vous chercher avec ma vaillante. Elle est d'attaque, non ?

Je comprends qu'il y a une histoire d'amour entre lui et l'infâme tas de ferraille, aussi lui en chanté-je le lods (en latin *laus*). Automobile émérite sans qui le continent africain ne serait que ce qu'il est, etc.

Il refuse que je lui paie son essence. Soit : je le réglerai en compliments, puisque c'est de cela qu'il a le plus grand besoin.

Nous le regardons partir en lui adressant des signes conviviaux. Après quoi, je sonne à la porte du *Chevalier Noir*. Une vieillarde au dos plus arqué que celui d'un stégosaure m'ouvre. De noir vêtue, tablier blanc de soubrette. Je suppose que l'Anglais à dû la reprendre avec le château parce qu'elle l'habitait depuis sa construction. Elle parle avec un fort accent britannouille. Donc, y a gourance : c'est du produit d'importation.

Un malheur n'arrivant jamais seul, non seulement elle est anglaise mais, en sus, elle est sourde comme un chope de bière. Fort heureusement, une créature pourvue de ses cinq sens (dirait Camille), en l'occurrence une personne charpentée comme un horse-guard (mais de sexe probablement féminin, si j'en crois sa jupe qui n'est pas écossaise) se pointe (d'asperges), histoire de relayer Lady Carabosse. Je lui fais part de ma réservation.

— Mais oui, certainement, une double donnant sur le bois.

— Je présume que le service du soir est terminé, dis-je-t-il. Existe-t-il une petite restauration de nuit ?

— En chambre seulement.

— Casse la tienne (comme dit le monstrueux Bérurier), nous sommes preneurs ; que peut-on proposer à nos appétits à vif ?

— Une terrine de lièvre et une brouillade d'œufs aux truffes ?

— C'est parfait. Avec du fromage de la religion ? Ah, pardon, de la région ? A cause de votre délicieux accent j'avais mal entendu. Bravo ! Vu l'heure tardive, nous boirons du champagne, réservant le malicieux bourgogne rouge pour demain. Un magnum de Dom Pérignon, s'il vous plaît !

Et c'est ainsi que nous nous retrouvons en tête à tête dans une chambre somptueuse : lit à baldaquin, surélevé, armoires pointes de diamant, chaises os de mouton, table à piétement croisé, cheminée monumentale où murmure un feu de bûches. Une fois le verrou tiré, une bouffée d'un sauvage bonheur m'investit. Si je m'écoutais, je saisirais mon adorable compagne dans mes bras puissants et la porterais jusqu'au lit. Mais non : calmos, Antoine. Ce qui différencie une pute à cinq cents pions de la femme qui te donne envie de pleurer d'amour, c'est le temps que tu prends avant de les sauter.

Autre chose qu'elle a de sympa, Rosette : elle mange. Sans gloutonnerie, je te rassure, mais avec un tranquille appétit. Les œufs aux truffes étant chauds et pas la terrine, c'est par eux que nous attaquons notre dînette. Le champ' est somptueux. Nous nous tenons la main gauche en clapant. Elle possède de jolis doigts, la laborantine. Je ne lui fais même pas parler de sa vie, ni ne lui raconte la mienne. L'amour, c'est au présent. On peut envisager l'avenir, mais le passé on s'en torche, rappelle-toi toujours bien de ça, p'tit pote. Archicons sont les foutriquets qui évoquent leur vie passée devant une conquête nouvelle. Quoi que tu lui narres, ça la fera automatiquement chier, sois-en certain. Que ton existence eût été belle ou moche, dramatique ou paradisiaque, elle s'en fout comme de son second tampax (le premier, elle peut en avoir conservé le souvenir).

La seule chose qui l'intéresse, ta récente équipière, c'est « tout de suite ». Si tu l'as belle et sais t'en servir. Si tu es un bon coup, quoi ! Ta manière de comporter au plume, post coïtum : tendre et romantique ou bien rude et rentrant chez toi ? Que tu aies eu l'enfance de Cosette chez les Thénardier, que tu aies baisé Miss Monde ou la marquise de Sévigné, elle veut pas le savoir, ta Poupoune. Elle pense à travers sa culotte, tu piges ?

Moi, sachant bien ma leçon sur la vie, je lui en déverse comme quoi elle mobilise tout ce qui existe en moi : corps et esprit ; âme aussi, cet esprit de l'esprit. Je lui rends compte de mon émotion quand je l'ai découverte dans sa blouse blanche, devant avec un microscope dans la force de l'âge. Cette odeur infiniment délicate de petit mammifère duveteux et de framboises sur branche, parfum de violettes en train d'éclore, parfum de rosée qui s'évapore au premier soleil dans l'air salubre du petit matin. Tout ça… Elle est embarquée, Rosette. Floue. Un Seurat !

Notre bouffement achevé, je pousse la table roulante dans le couloir. Quelle superbe demeure ! Plafonds à la française, tableaux de petits maîtres hollandais sur les murs, tapis, coffres-banquettes…

July I est-elle venue ici ? Si oui, s'y trouve-t-elle *again* ? C'est pour éclaircir ce point capital que je suis là.

Selon ce que j'ai pu entrevoir en m'inscrivant à la réception, cette demeure ne doit pas héberger une vaste clientèle. Elle est de dimensions relativement modestes et il y avait peu de voitures au parking. Deux méthodes pour me rencarder : questionner le personnel ou faire du « porte-à-porte à ma manière ». La première risque d'alerter, la seconde de me faire poirer en flagrant du lit. L'une comme l'autre est donc condamnable, alors une troisième pointe sous ma bigoudaine : attendre et observer les ailles, à la salle à manger ou ailleurs.

Je devrais me résoudre à cette dernière solution, pour sa prudence. Seulement je suis un homme bouillonnant d'une éternelle impatience. T'as des types, style Mitterrand, qui laissent pourrir la situation et qui cultivent l'avenir grâce à cet humus. Faut avoir pour cela un self-control à tout crin.

Je rentre dans ma chambre somptueuse. Rosette s'explique avec la savonnette de la salle de bains. Je n'ai même pas laissé à la pauvrette la possibilité de se munir d'un vêtement de nuit et de sa brosse à chailles. Ç'a été l'enlèvement au sérail pur et simple.

Va-t-elle dormir tout habillée, ou bien en petit slip et combinaison ? Mais en porte-t-elle une ? C'est tellement dépassé, de nos jours ! Ça fait tellement popote, tellement ringard !

Dois-je lui proposer le lit et me lover sur la banquette inconfortable, ainsi qu'il est de mise dans toutes les comédies américaines où, immanquablement, les deux protagonistes font dodo à part au début et se retrouvent enchevêtrés le matin ?

Mais elle apparaît et je cesse de me poser de puériles questions. Elle est nue, entièrement, totalement nue. Nue comme au jour de sa naissance, mais beaucoup plus appétissante, j'en suis sûr !

Elle se coule dans le plumard de majesté et se met à examiner le motif peint sur le bois du ciel de lit, que ça représente un couple fringué XVIIIe (siècle, pas arrondissement) assis côte à côte sur une nacelle enrubannée. Le garçon apprend à la fille à jouer de la flûte, ce qui, mine de rien, est suggestif, je trouve ; et hardi, pour l'époque.

A peine a-t-elle fini de contempler la charmante scène que me voilà, également dépiauté, à son côté.

J'éteins la lumière. Juste un rai parvient du couloir, *because* ces portes anciennes joignent plus ou moins. Je me mets contre Rosette, un bras passé par-dessus sa poitrine, un autre lui servant de second oreiller.

Elle chuchote :

— J'aimerais que…

— Je sais, lui dis-je, sois tranquille.

Et voilà, on est lèvres à lèvres sans broncher. Je gode en sourdine, pas du tout façon taureau. La bête est assoupie en nous. C'est le cœur qui vibre d'un délicat enchantement, comme l'écrit si bien Robbe-Grillet dans « La Neige sur les pas perdus sans laisser d'adresse », œuvre qui lui a valu le Nobel des déménageurs de pianos, l'an passé.

On s'embrasse doucement, longuement, sans remuer autre chose que la langue et les paupières. Et puis un sommeil enchanteur se faufile dans la chaleur de nos corps enlacés (et ça c'est de Madame Marguerite Duras dans « Momone Jeune fille »). Nous ne *sombrons* pas dans l'inconscience, au contraire : nous nous *élevons* jusqu'à elle. C'est démoniaquement pur, abominablement doux.

A un moment donné (car il s'agit d'un acte gratuit), j'ai conscience que ma bite roide est emmitoufflée de ses duvets royaux. Si elle y est, qu'elle y reste ! Et qu'elle n'en sorte plus, la digue, la digue…

Je t'ai déclaré, avant de me pieuter, que j'avais assuré le verrou, n'est-ce pas ? Aussi, quel n'est pas mon émoi lorsque je m'éveille en sursaut avec la notion d'une présence étrangère dans la pièce.

Un imperceptible bruit provient du coin de la chambre où j'ai jeté mes fringues sur les bras d'un fauteuil compatisseur. Le glissement, c'est celui d'une paluche dans mes vagues[1]. Ma mornifle qui réagit.

Voilà que je trouve farce un culot aussi phénoménal. Faut la santé pour s'introduire dans la carrée d'un couple afin d'explorer ses profondes. Note qu'il reste des pros de grande envergure, au style époustouflant. Celui-ci en est un. Son hic c'est de tomber sur un gazier doté d'un radar auquel rien n'échappe.

Je ne bronche pas, tu penses. Le jeu consistant à me montrer plus silencieux encore que l'intrus. J'échafaude une intervention. Si je cherche la poire électrique, ce simple geste lui donnera l'alerte. Non, non, mon Antoine, la surprise (en anglais : *the surprise*). Je guigne dans l'incomplète obscurité ; le fameux rai de lumière a fini par prendre de l'importance et jette un halo ténu dans la chambre. Le « rat d'hôtel » est placardé derrière le dossier du fauteuil et fouille mes sapes depuis cette planque.

Alors je décide d'agir. Pendant la guerre, les avions chleuhs qui harcelaient les troupes françaises en débandade (les stukas) fonçaient sur elles dans un terrifiant vacarme de sirènes hurlantes. Le bruit ajoutait à l'effroi de nos pauvres bidasses, les rendait fous de terreur, car un son d'une forte amplitude lèse le cerveau. Je vais lui faire le coup du stuka en piqué, au visiteur, bouge pas, Benoît !

Je gonfle mes soufflets au max, puis je me rue hors du plumzingue en faisant un « Vrrrrrrouhahahaaaaa ! »

1. Traduction française pour les analphacons : « Une main dans mes poches. »

si formidable que si je portais un râtelier, il claquerait des dents dans son verre. Un rugissement si tant bourré de décibels, je te fous mon bifton que, super-pro de la cambriole ou non, il te paralyse un instant. Non, te « tétanise » ! On est dans un polar et j'allais oublier le verbe transitif clé !

Dans mon élan forcené, j'emplâtre le fauteuil. Ouille ! Ouille ! Je dérouille l'un des accoudoirs en pleine cuisse, à quatre centimètres de mes précieuses ! Ce dégât, si j'avais dégusté ça en plein emballage-cadeau ! Je sens que le siège a renversé mon farfouilleur noctambule. Pour faire bonne mesure, je m'aplatis sur le dossier. J'entends un cri, un craquement.

Tu parles que ce rodéo a réveillé la môme Rosette. Elle n'en rajoute pas, se contentant d'éclairer. Merci, ma belle.

Je me redresse et fais basculer le fauteuil. Dieu que le con du sort est triste au fond des boas ! Autant te le déclarer net, sans tergiverser : mort !

Je pige tout. Dans un premier temps, le fauteuil culbuté l'a fait tomber en arrière. Sa nuque a porté contre le pied d'un landier en fer forgé du XVIIe siècle. Lorsque je me suis jeté sur le dossier, pour faire le bon poids, les cervicales de l'individu ont déjanté.

Je me relève, appréciant la situasse d'un regard semi-circulaire. J'aperçois le rideau de la fenêtre écarté ; la grande croisée Louis XIII est entrouverte car le voleur a découpé un carreau au diamant de vitrier.

Je m'approche. Une échelle d'alpiniste, légère, en nylon et barreaux de duralumin est accrochée à la barre d'appui par un crampon. Alors, ayant appréhendé toutes ces choses, ni une ni deux, je vais ramasser le gisant sous le regard fasciné de Rosette à laquelle je dédie un sourire réconfortant.

— Dur, dur, ce métier ! lui fais-je.

Le gars que je tiens est âgé d'une trentaine d'années. Il est fluet, porte un training noir, des chaussons noirs, un passe-montagne noir, des gants noirs. Rat d'hôtel, quoi !

Je m'approche de la fenêtre. En bas, moutonnent des massifs d'hortensias. Plouf ! Un bruit amorti. Je décroche l'échelle et la laisse choir près du zozo, referme la croisée, tire le rideau, redresse le fauteuil et vais écouter dans le couloir. *Nothing !* Il semble que mon cri de kamikaze n'a pas réveillé le voisinage. Faut dire que les murs du castel sont si épais !

Rosette continue de m'observer d'un air méditatif.

— Vous avez des nerfs d'acier, murmure-t-elle.

— Si l'on n'en a pas dans ce boulot, on se retrouve vite allongé sur un catafalque dans la cour de la Préfecture de Police, avec la Légion d'honneur épinglée sur un coussin. Or je n'ai jamais eu envie de la Légion d'honneur.

Je me recouche.

— Tu es superbe quand tu as ce petit air anxieux, lui déclaré-je. Je sens que je vais beaucoup t'aimer.

Elle montre la fenêtre.

— Qu'est-ce que ça va donner ?

— On va voir.

— Vous n'allez rien faire ?

— Si, lui dis-je : l'amour ! Cette fois, je ne peux plus me contenir.

CHAT CLOWN 13

Et ce n'est pas une promesse en l'air ! Ou plutôt si : terriblement en l'air !

La marionnette de Gnafron, tu sais, ce personnage de l'ivrogne lyonnais à la trogne rubiconde.

Rosette, je lui fais pas franchir le Rubicon, c'est le rubicond qui la franchit !

Pas de détails. C'est trop intime pour être raconté ! Faut parfois faire preuve de discrétion, de tact. Sache simplement que notre étreinte est très belle, très ardente, farouche, même ! Du travail (si je puis employer ce mot, cependant noble, pour qualifier un acte plus noble encore) de grande, de très grande classe. On s'aime, quoi !

C'est pas une « séance » d'amour, c'est l'amour. Sans calcul, sans plan ourdi ; l'amour impétueux qui s'improvise à chaque seconde. On se caresse, s'embrasse, se mêle, se pénètre, se goûte, se convainc, se découvre, se donne, s'active, s'affole, se démantèle, s'épuise, se reprend, s'idôlatre.

Pauvre sommier qui, bien que ne datant pas du roi

Louis XIII, a supporté bien des assauts, au point de se déformer en son centre, formant ainsi une cavité qui nous rassemble sans que nous eussions à le décider ; douce fosse d'amour.

Ensuite, nous nous engloutissons dans cet « après » merveilleux, encore plus suave que l'amour.

Des bruits extérieurs nous guérissent du sommeil. Moteurs d'autos, aboiements de chiens, chants de coqs.

Je téléphone pour le breakfast. Un thé-citron et deux yaourts pour Rosette. Un café noir avec un croissant pour ma pomme.

Une servante campagnarde nous apporte le plateau. Elle semble d'une paisibilité infinie, d'où je conclus que mon visiteur de la noye doit encore gésir dans les géraniums.

Rosette boit une gorgée de thé brûlant avant de prendre mon braque en bouche, ce qui est une délicieuse attention de fille soucieuse de ton confort.

Comme il faut s'y attendre, à peine notre tout petit déjeuner expédié, on remet le couvert en toute sauvagerie. Baise de nuit et baise de jour sont très différentes. La première baigne dans la fantasmagorie des ténèbres, la seconde a la puissance de la réalité bien lisible.

Je sais qu'à un moment donné, propulsés par notre fougue, nous descendons du lit sans déjanter pour continuer cette fantasia sur le beau plancher marqueté. On pâme de concert, comme toujours dans les amours réussies, et on reste à haleter, l'un sur l'autre, nos corps soudés par la plus précieuse des sueurs.

Ayant recollé ma moustache, chaussé mes lunettes et coiffé ma gâpette, j'emmène Rosette en promenade dans le parc. Enlacés, nous en parcourons les allées, à petits pas vieillassous de gens ayant vidé leurs glandes et mis à mal leur énergie.

Nous passons sous notre fenêtre. Sans marquer de ralentissement je coule une œillade avide sur l'énorme massif d'hortensias bleus. Dans le milieu, quelques plantes ont été brisées, mais il ne s'y trouve aucun cadavre et pas davantage d'échelle d'alpiniste.

Drôle de château où l'on ne prévient pas la police quand un monte-en-l'air se fait foutre en bas ! Tu sais que ça commence à m'énerver singulièrement, ce bigntz ?

J'attends le repas de midi avec impatience.

La salle à manger est l'une des plus ravissantes qu'il m'ait été donné de voir. Mobilier de style élisabéthain, en bois très sombre, presque noir, ciré et poli jusqu'à le transformer en miroir.

Une dizaine de tables aux nappes exquises, brodées, et à la vaisselle de porcelaine décorée main. Verrerie de cristal, argenterie massive. Le maître d'hôtel est britannouille de même que les péones en spencers blancs à revers bleus. Quelle allure !

Nous sommes les premiers. On nous a réservé une table entre la cheminée monumentale et un fabuleux bouquet d'au moins trois mètres de circonférence trônant seul sur une table. Je suppose que notre coin est celui des amoureux.

Le menu du jour est joliment calligraphié sur du parchemin :

Timbale d'huîtres pochées à la crème safranée
— o —
Filets de rougets au basilic
— o —
Pièce de charolais
avec son gratin de macaronis « Mère Brasier »
— o —
Fromages du pays
— o —
Compote de poires au vin

Lucullus et Lucky Luke réunis ! On ne s'emmerde pas tous les jours dans la police !

Une boutanche de chablis pour les huîtres et les rougets, un côte-de-beaune pour le reste ! L'après-midi va pas être fastoche à vivre ! La sieste sera opportune. Moi, Rosette, je m'en ressens à mort pour elle. Ce qu'on peut atteindre en félicité, les deux, n'est pas contrôlable sur l'échelle de Richter.

Des pensionnaires du *Chevalier Noir* se pointent. Des couples âgés (légitimes), des couples mixtes (l'homme vieux, la femme jeune ; hautement illégitimes). Ces messieurs et dames sont loqués sport : mi-golf, mi-campagne. Du tweed, des vestes à carreaux, des chemises à col ouvert avec foulard Hermès. On repère les petites secrétaires endimanchées à leurs mises sorties de chez les marchands de fripes, alors que les « vraies » médèmes s'équipent de harnais signés Chanel, Dior ou Saint Laurent.

Un discret ronron de conversations naît. Chaque couple déguste son champagne-framboise en commentant le menu raffiné. Ils sont une huitaine à prendre des airs blasés. Pas de July Ier à l'horizon. Me serais-je gouré en situant dans cette hostellerie la retraite (ou la planque) de Miss Larsen ? Pourtant, je trouve l'endroit bizarre et, crois-le, quand l'Antonio renifle de l'étrange, c'est que son pifomètre l'a capté sûrement. Au reste, l'affaire du cadavre disparu en dit long sur l'ambiance de cette nouvelle auberge des Adrets.

Notre serveur, un petit pédé blond au teint de lait et au visage de lapin russe, nous sert nos huîtres pochées, lesquelles ont belle allure dans leur sauce couverte d'un voile de gratinage.

Le pédé-serveur-lapin-russe se retire.

— Que le meilleur gagne ! fais-je plaisamment à Rosette.

Et je pique une belon dodue dans l'une des alvéoles du plat spécial où elle a cuit.

A l'instant où je souffle dessus avant de me la respirer, j'avise un nouveau venu dans la salle à manger et je reste paralysé par la stupeur.

La pauvre huître, bien que cuite et transpercée, doit se demander ce qui m'arrive.

— Qu'as-tu, mon amour ? murmure Rosette.

J'enfourne le mollusque bivalve dans mon tout-à-l'égout, l'engloutis d'un coup de reins de mon gosier, bois une gorgée de chablis et ne trouve rien à répondre. C'est *too much*, comprends-tu ?

Trop effarant.

Là, à deux tables de la nôtre, imper dans une veste de cachemire vert sombre à pochette tango, devine qui ? Non ! Ne donne pas ta langue, elle me ferait gerber !

Le Vieux !

Tu as compris ?

Do you realise ?

Je répète : le Vieux !

Parfaitement : Achille, le Dirlo, le Tondu ! le Vénérable ! Sorti de sa boîte de verre à malice, pétant de santé. Et moi qui le pleurais ! Et moi qui affûtais déjà ma plume de cérémonie pour bossuetter à outrance, clamer ses incomparables mérites à ce vieux nœud, dire sa vie glorieuse, exemplaire de partout ! Ben il est à trois mètres de moi, à ligoter le menu à travers un face-à-main, s'il te plaît ! Très dix-huitième cercle, l'apôtre ! Le coude arrondi, l'œil dilaté, la calvitie éclaboussante de reflets, si tu me permets de charabier un brin, histoire de faire chier les puristes.

Je me lève : Lazare sortant du tombeau, ou le Belge de la Brabançonne ! Marche en direction du Dabuche. Il me découvre soudain, me reconnaît derrière ma moustache et mes besicles d'intello. Alors il reste de bois. Simplement, il porte son index à ses lèvres et l'y place perpendiculairement, ce qui, dans tous les pays du monde, même les plus arriérés comme les îles de la Sonde, Bornéo ou l'empire britannique, signifie « chut ».

Message reçu !

Je passe devant sa table sans le regarder et vais demander à un garçon où sont les gogues-closets. M'y rends (d'oignons).

En profite pour faire pleurer le gamin et me laver les paluches.

Une qui se fendille à force de curiosité, c'est mon adorable Rosette (elle n'est pas de Lyon) ;

— Mais qu'est-ce…, attaque-t-elle.

Je saisis sa menotte, la baisote.

— Plus tard, je chuchote.

Et on briffe de bel appétit. A une ou deux reprises,

je file un léger coup de périscope sur le Chenu. Il y va franco pour la polka des mandibules, avec son jeu de dominos d'occase. Le grand air de la Saône-et-Loire qui lui aiguise l'estom', Chilou. On dirait que ses virus filtrants ont filtré vers d'autres carcasses.

Moi, pour être sincère, je meurs d'envie d'aller, malgré son interdit, lui demander des comptes. Putain d'Adèle ! On ne fout pas son meilleur collaborateur dans une béchamel de ce tonnage pour venir, ensuite, tortorer une tranche de charolais à ses nez et barbe en prenant une attitude mystérieuse. Y a des choses inacceptables dans la vie.

Rosette, enamourée, me caresse la membrane sous la nappe, pendant que le lapin russe (il a un bec-de-lièvre, je t'ai dit ?), nous sert les filets de rougets.

Je raffole. Ça me rappelle la môme Andrée que j'ai piquée un soir au comptoir d'un bar sans que personne ne s'en aperçoive. Faut dire que je lui avais interdit de mettre une culotte quand nous étions ensemble. Elle avait une manière échassière de se tenir sur une seule patte, la chérie. Et de lever l'autre presque à l'équerre pour permettre à Popaul d'accomplir sa promenade de santé. Un gros gus, poivré à souhait, nous servait de paravent. On lui a joui dans le dos pendant qu'il éclusait son seizième pastaga. Un régal !

J'outre certaines personnes, peut-être ? Encore que désormais, y a plus confusion sur la marchandise. Ceux qui m'achètent s'attendent à tout, et surtout au pire. Moi, faut pas être bêcheur, si tu veux qu'on reste amis. Mes lecteurs, c'est mon club. Ils le savent bien que je me gêne pas d'eux. Qu'on fait partie de la même bande anticons et anticonformistes, eux et moi. La clique à Sana, ils constituent. Rassure-toi, y a du beau linge parmi les adhérents ! De grands esprits, des gens célébrissimes, des rois, des savants, des présidents, des généraux.

Juste quelques nobles qui me rechignent encore ; des gaziers du Jockey, et même j'ai idée qu'ils me bouquinent en cachette : aux chiches, ou dans le train après m'avoir affublé la couvrante d'une jaquette prélevée sur un *book* traitant de la vie du Père de Foucauld. Je te parie que le comte de Paris confessera sur son lit de mort que j'étais son auteur de chevet ; faut dire qu'on est les deux Messieurs France, lui et moi ! Je suis son auteur d'Ingres. Ou dingue ! Comme disait Pierre Dac, l'irremplacé, à propos de Jéricault : « la trompette était son violon d'Ingres ».

Bon, on laisse traîner le repas dans cet état de pré-baise qui constitue un enchantement. On a sifflé les deux boutanches. Rosette se paie un caoua. Mais elle savonne un peu en parlant.

Lorsque le Vieux a quitté sa table, je propose à ma compagne une sieste polissonne.

Te dérouterais-je en t'affirmant qu'elle accepte ?

Nous revoici dans notre chambre à grand spectacle. Surprise ! On a remplacé le carreau de la fenêtre pendant le déjeuner.

Rosette se dessape en un tu sais quoi ? Oui, tour de main, t'as gagné. J'adore ses fringues de gerce au sol, en rond, et qu'elle enjambe si joliment une fois nue.

Je tire les rideaux, arrache le couvre-lit.

Tiens, une bafouille est posée en évidence sur mon oreiller. Mes oreillettes réagissent. Je me saisis du message. L'enveloppe ne comporte aucun libellé. A l'intérieur, je trouve une feuille de papier à en-tête de l'hôtel. Aucun mot n'a été tracé dessus. Qu'est-ce que ça veut dire ?

Je jette la bafouille muette dans la corbeille à papzingues.

Le château des mystères, te dis-je !

Rosette sort de la salle de bains, opérationnelle. A mon tour de poser mes loques.

On se couche. Merde : ma queue pend comme la cravate de mon tonton Gustave, sauf que la sienne possédait un tout petit nœud de misère.

Heureusement, au lieu de m'emboucher la Renommée, Rosette me presse... de questions.

J'y réponds. Le Vieux ! Son signe m'intimant de jouer La Muette. Elle s'exclame à satiété puis, vaincue par la bonne chère, s'endort. Mon honneur est sauf.

Satisfait sur ce point, je croise mes bras sous ma tête pensante et me plonge dans des réflexions tellement profondes que, franchement, je devrais m'encorder avant de descendre en moi-même. A quoi rime ce fourbi ? Le Vieux, bourré de virus au point de se faire pomper à travers une cage hermétique et de m'abandonner son bureau ! Il part de chez lui en ambulance et je le retrouve dans une hostellerie grand luxe, seul apparemment. Etablissement où j'espérais trouver July Ier et d'où mon brave Pinaud a disparu après avoir tenté de me téléphoner. Etablissement où un monte-en-l'air visite ma chambre et que je tue accidentellement ! Son cadavre disparaît sans avoir causé, semble-t-il, la moindre émotion dans le Landerneau.

Il y fait quoi, au *Chevalier Noir*, Pépère ? Et moi, hein ?

Je m'y goberge, j'y fais l'amour alors que mes

hommes les plus valeureux ont disparu : Mathias.
Jérémie, Pinuche, Violette (je peux la citer parmi les
hommes, cette indomptable). Et ce salaud de Béru qui
s'est mis à tuer du bougne, l'immonde !

Je regarde la peinture du ciel de lit. Rarement je me
suis senti pareillement démuni. Baisé à bloc ! A croire
que ma bonne étoile a changé de galaxie et que mon
ange gardien s'est cassé avec une danseuse du *Lido* !

Voilà que dans la chambre contiguë, les pensionnaires viennent de brancher la téloche pour suivre le
tennis sur la 3. Malgré l'épaisseur des murs je perçois
le claquement sec des balles ; mais un petit grésillement
métallique se produit dans ma carrée, juste au-dessus
de ma tronche. Léger, fusant, avec des sautes, des
crachotements.

Soucieux d'en avoir le cœur net, je me coule hors des
draps, grimpe sur une chaise et examine le dessus du
baldaquin. Me faut pas deux secondes pour retapisser
la source du petit couinement insolite : un micro. Il
a été déposé pile sur le fente qui lézarde le panneau
de bois peint constituant le plafond du baldaquin. La
téloche crée des interférences et fait vibrer la plaque
sensible du micro.

Je songe que « ô putasse ! », je viens de déballer le
topo à Rosette et que ceux qui nous espionnent ont tout
entendu. Décidément, je ferais mieux de me retirer à
l'Armée du Salut où je pourrais peut-être rendre encore
de menus services en servant les repas aux clodos et en
passant leurs paillasses à l'insecticide. En qualité de
flic, c'est plutôt râpé, pour ma pomme.

Je redescends de la chaise, m'y assois et me tiens le
langage suivant :

« San-Antonio, je t'accorde une minute pour mettre

au point un plan d'action susceptible de sauver la mise au Vieux. Passé ce délai, je te traîne devant une glace et je te crache à la gueule jusqu'à ce que je ne te voie plus. »

Je mate le cadran de ma Pasha. Au bout de quarante-deux secondes, j'ai trouvé.

Alors je réveille Rosette.

Elle s'est toquée rapidement et a glissé dans la poche de son tailleur le petit tube de plastique, format stylo, que je lui ai remis.

— Tu as tout compris, chérie ?

— Ça n'a rien de compliqué : je vais au salon, je prends une revue que je feins de lire. Pendant ce temps, j'enfonce ce machin sous les coussins de mon canapé après en avoir retiré le capuchon et je repars tranquillement.

Inutile de te préciser que notre converse est chuchotée dans la salle de bains !

— Et au retour ? insisté-je.

— Au retour, tu me proposes de faire l'amour, j'accepte et j'assure le bruitage de circonstance pendant que tu pars « au travail ».

— Bravo !

On revient dans la chambre.

Moi à la cantonade (ce salaud de Béru dit « à la canonnade ») :

— Tu sors, chérie ?

— Je vais voir si je trouve de quoi lire au salon.

— Tu ne restes pas longtemps partie, j'ai des projets te concernant.

— Mais non, mon grand fou !

Doubles baisers gazouilleurs, claquement de porte.

Le beau San-A. se met à chanter le grand air de la *Tosca* d'une voix qui inciterait les bouquinistes des quais de Seine à remballer leur marchandise avant la pluie :

Mais Tosca, tout de même
C'est toi seule que j'aime
C'est toi seule que j'adore…

Tiens, il fait soleil. Le coup de projo céleste, sans crier gare. Un rayon oblique passe entre les rideaux et plonge dans la corbeille à papier grillagée. Il met en valeur la lettre blanche que j'y ai balancée.

Encore une énigme de plus : elle rime à quoi, cette bafouille ? Froissée, elle ressemble un peu à une mouette morte, voire à une tourterelle.

Je me mets à chanter autre chose… Du Piaf. *Milord !* Quand les paroles me manquent, je siffle.

Allez venez, milord
Vous asseoir à ma table
Il fait si froid, dehors
Ici c'est confor…

Je stoppe net. Est-ce un mirage ? Je fonce à la corbeille pour y ramasser la lettre inécrite. Je crois y déceler comme l'ombre de caractères. C'est quasi impondérable, mais ÇA EST ! Alors, je pige, triple con qu'*I am !* Encre sympathique. Il faut chauffer le papelard. Et mister Ducon-Lajoie qui n'a même pas été effleuré par cette pensée ! M. Dunœud qui mijotait peinard dans sa connerie bouffite. Faut que ça soit le mahomed qui le rappelle à l'ordre, vienne lui donner la

leçon en chauffant la babille ! Suis-je-t-il en méforme ?
Traversé-je-t-il un passage avide ?

Rapidos, je gratte une allumette du petit paquet
réclame mis à la disposition de sa clientèle par le
Chevalier Noir et promène la flamme sous la feuille de
noble papelard. Sans attendre, des caractères se constituent, en majuscules d'imprimerie. Et je lis :

PARTEZ IMMÉDIATEMENT PAR PITIÉ

JULY

CHAT CLOWN 14

L'homme au loup était à ce point à l'aise avec cette pièce de velours sur le visage qu'il donnait l'impression de vivre continuellement masqué. Il portait un grand béret de parachutiste et un complet de jean bleu. Il proposa à son tueur d'élection :

— Vous prenez un petit Cointreau avec moi ?

— Si c's'rait n'pas vous déranger, j'aimererais plus mieux un verre de rouge, assura l'interpellé.

Le « Big Chief » fit claquer ses doigts et donna à l'un de ses sbires l'ordre muet de satisfaire son invité.

— Vous faites un sacré travail ! complimenta-t-il. Votre tableau de chasse se monte à combien de pièces ?

Le gros homme gondola du frontal et se mit à compter sur ses doigts.

— Avec le gonzier de la voirerie qu' j'ai étalé c'morninge, ça va faire dix-huit !

— Eh oui, dix-huit, renchérit l'homme au loup. Vous êtes un tireur exceptionnel.

Le gros type se rengorgea.

— J'ai toujours cartonné de première, c'est vrai ; et

pourtant, j'sus pas le genre de perdreau qui passe son temps dans les estandes d'tire av'c un monitreur. C'est comme qui dirait pour ainsi dire tiné, chez moi ! Moui : c'est tiné.

L'homme au loup sourit de ce parler pittoresque. L'inculture de son tireur d'élite l'amuse au plus haut point.

— Pourquoi refusez-vous d'abattre les sous-putes qui se donnent à ces macaques ? demande-t-il en sirotant son Cointreau.

— Pardine ! Biscotte elles sont blanches, mon général ! Moi, du bougne, du melon, tant qu'on voudra, mais du Blanc, de la gonzesse, ça non, c'est pas ma tassée de beaujolpif !

— Et cependant je vais avoir besoin de vous pour exécuter tout un lot, assure « le boss ».

— Un lot de quoi ?

— De flics, mon cher. Nous détenons des confrères à vous qui en savent trop long sur notre compte et le vôtre pour espérer mourir de vieillesse.

Le gros perd de sa force tranquille.

— Hé, dites, y a maldonne, patron ! Je vous le répète que moi, les Blancs, pas touche ! Surtout des collègues !

— Il va bien falloir, pourtant ! Votre sécurité en dépend, la nôtre également. Je ne plaisante jamais avec la sécurité. Si vous ne les exécutez pas, il me faudra les confier à mon équipe spéciale, laquelle, soit dit confidentiellement, se compose de sadiques qui vont s'en donner à cœur joie avant de les mettre à mort. C'est elle qui a accompli le premier coup de main : vous savez, ce Noir dont ils ont coupé le sexe et qu'on a égorgé sur sa petite copine ?

Le tueur-sans-gages réfléchit.

— Bon, ben c't O.K., je les zinguerai, promet-il. C'est pour quand est-ce ?

— Pour tout de suite.

— Ça n'chôme pas, av'c vous !

— Non, ça ne chôme pas. Finissez votre verre, monsieur Bérurier, et suivez-moi, nous allons nous faire conduire sur le lieu des exécutions.

Rosette est de retour, souriante. Elle m'entraîne dans le dressing et chuchote :

— C'est quoi, ta petite cartouche de plastique ?

— Une bombe incendiaire miniaturisée.

— Elle va fonctionner quand ?

— D'ici trois minutes ça devrait jouer. Elle a le mérite de créer immédiatement un foyer très étendu ; tout le personnel, et même la direction, vont devoir s'activer ferme pour circonscrire le sinistre.

— Et toi, pendant ce temps, tu vas ?…

— Exactement.

Je l'attire dans la chambre.

A haute voix, San-Antonio l'intrépide :

— Je meurs d'envie de faire l'amour, ma chérie !

La chérie, enamourée :

— Pas tant que moi.

Bruits répétitifs de mimis mouillés, entrelardés de légers gémissements exprimant le désir incandescent (et non « un con descend », comme dit Béru, ce triste salaud).

Le lit. Je fais geindre le sommier. Tu croirais la

tenniswoman Monica Céleste engageant sa première balle !

Au bout de deux minutes, je lui chuchote :

— Tu n'as qu'à continuer comme ça, en poussant des cris de bonheur.

Là-dessus, m'étant muni de ce qu'il me faut pour l'équipée que je mijote, je dépose un baiser en vrille entre les cuisses satinées de Rosette, et je m'esbigne.

Faut que je vais te dire…, comme s'exprimerait le Gros. Ce qu'il me poursuit, ce monstre ! Il reste planté dans mon subconscient comme une balayette de gogues dans le récipient qui l'héberge. Dès que j'aurai éclairci le mystère d'ici, va falloir que je m'occupe de lui ! Et sans douceur. Le payera, je te jure. Plein tarif.

Faut donc que je te dise… chaque appartement est pourvu de deux portes : la principale qui donne sur la chambre, et une seconde, plus modeste, puisqu'elle est tapissée avec le papier peint du couloir afin de mieux s'y fondre, qui livre accès au dressing-room. Ce sont ces portes secondaires que j'ai décidé de déponner avec mon sésame, manière de mieux surprendre les occupants en les visitant « par-derrière ».

La première lourde à laquelle je m'attaque s'ouvrirait avec une simple clé de boîte à sardines, voire avec un bigoudi métallique.

J'entre sans heurt à l'intérieur d'un dressing plus vaste encore que le nôtre, où on trouve même un appareil à ramer.

Inutile de tergir le verset (satanique), j'arrive chez des gens en train de faire pour de bon ce que nous venons de simulacrer, Rosette et moi. Deux amants niais. Un vieux (le patron de l'Entreprise Dupont-

Durand et Martin, fil à couper le beurre, le roquefort et le bleu de Bresse), une jeune (la secrétaire, extrêmement particulière, du premier).

Dialogue :

— Tu es mon petit noiseau des îles ?

— Voui.

— Mon roudoudou ?

— Noui.

— Ma chienne en chaleur ?

— Zoui.

— Mon trou à pine ?

— Moui.

— Ma salope ?

— Foui.

— Ma pétasse lubrique ?

— Boui.

— Mon enculée de sa mère ?

— Doui.

— Ma charognerie vivante ?

— Coui.

— Mon infecte pourriture ?

— Houi.

— Mon tas de merde ?

— Joui.

— Ma conasse purulente ?

— Poui.

— Ah ! tu me rends fou : je t'adore !

— Moi aussi, Victor-Maximilien ! Tu sais parler d'amour, toi !

Je glisse sur la moquette, juste assez pour pouvoir couler un œil dans la chambre. J'avise un kroume bedonnant, entrevu naguère à la salle à manger, en train de proposer un misérable chipolata ternasse a la gloutonnerie artificielle d'une solide brune au cul de contrebasse à cordes. M'est avis que le travail va pas être fastoche et que c'est cher payer un week-end au *Chevalier Noir*.

Alors je m'éclipse de l'une, pour aller à l'autre.

Ma seconde visite m'apporte chez un vrai couple chenu. Du genre de ceux qui ont tant vécu ensemble qu'ils n'ont même plus la force de se haïr. Pour s'occuper, ils sont malades et soignent leurs maux séparément, sans s'occuper de ceux du conjoint. Le monsieur est en train de faire des fumigations, la dame de soigner des plaies variqueuses qui feraient dégueuler des rats d'égout atteints de dermatose herpétiforme.

T'as rien à glander ici, l'artiste ! Bonne bourre, madame et monsieur !

Troisième visite domiciliaire.

Couronnée de « suc sec » (Béru).

Depuis le nouveau dressinge, j'entends la téloche. Un feuilleton. Américain, qui pis est. Voix de doublage s'efforçant au grasseyement : « Tu ne t'en tireras pas comme ça, Dicky ! Tu as vu ce que je tiens dans la main droite[1] ?

« Cet engin fait des trous dans la viande de salaud grands comme des hublots de paquebot ! Un geste malheureux et tu es plus mort que la momie de Toutankhamon !

Je me pointe à l'angle du dressing. J'aperçois une

---

1. Réplique authentique. Au doublage on ne fait pas dire au héros : « Tu as vu ce que je tiens DE la main droite ; mais bien DANS la main droite. » A noter que la faute serait la même s'il s'agissait de la main gauche.

San-A.

paire de chaussures d'homme superposées sur un lit. Les pinceaux de leur propriétaire se trouvent à l'intérieur et le reste du mec suit sur la courtepointe.

Je ne distingue pas sa frime, car cela m'obligerait à trop m'avancer. Mais je vois parfaitement July 1er, assise devant la télé, de profil à moi.

Elle, par contre, a posé ses souliers et placé ses jolis petons sur un pouf capitonné. Regarde-t-elle vraiment l'écran où un grand con armé braque un gros con désarmé ? J'en doute, tant elle semble songeuse. Je voudrais attirer son attention sans me signaler à son compagnon de chambrée. Dort-il ? Lit-il ? Toujours est-il que ses arpions ne bougent pas. Peut-être rêvasse-t-il également ?

Impossible de me signaler par un bruit qui serait également perçu par l'autre.

« Trouve une astuce, Sana. Trouve ! Trou ou ouve ! »
Servez chaud.
Servez show.
Servez chauve.

La lumière est allumée dans le dressinge. Alors je l'éteins, tout bêtement. Comme le changement est mince, je rallume, puis éteins de nouveau. Et je renouvelle l'opération : *bis repetita placenta* (dirait Béru s'il parlait latin). Ce manège se lit sur l'écran du poste de téloche, mais faiblard. Néanmoins, la belle July finit par avoir son œil attiré par ce petit va-et-vient énervant. Elle regarde en direction du dressing et m'aperçoit. Je lui adresse un baiser. Elle se lève et vient dans ma direction. Les pattoches du copain invisible remuent.

— Où allez-vous ? demande-t-il en anglais.
— A la salle de bains.

Ça y est, la voilà, bien superbe dans une robe d'intérieur molletonnée, couleur feuille morte.

Elle me foudroie d'un regard intense et me désigne
péremptoirement (je raffole des adverbes) la porte.

Mais Bibi, oh! pardon, Lisette, il ne l'entend pas
de cette oreille (d'ailleurs elle n'a rien dit). Au lieu de
sortir, je déponne l'huis de la salle de bains et pénètre
dans celle-ci. Mon premier soin est d'ouvrir en grand
les deux robicos, histoire de créer un bruit de fond.

La môme Larsen entre à son tour, blême de frousse
ou, qui sait? de fureur.

Elle chuchote :

— Partez immédiatement, vous et la fille qui vous
accompagne, sinon il va vous arriver malheur ainsi
qu'à votre directeur.

Un temps. Elle ajoute :

— Et à moi également.

— O.K.! Mais je ne sortirai pas avant d'avoir deux
mots d'explications.

— Plus tard. Je ne peux vous parler ici. Et d'ailleurs
tout cela est top secret!

— Top secret mon cul, chérie! J'ai suffisamment
joué les nigauds de service, je dois savoir! Au moins
l'essentiel.

— Ce qui est essentiel, c'est que vous filiez!

Elle veut se tailler. Je la retiens par le poignet. Elle
se débat. Un flacon de gel restructurant microciblé :
Future Perfect de chez Estée Lauder, qui se trouvait
sur le lavabo, choit et se brise. Une flaque foutreuse
s'ensuit ainsi que des chiées de menus tessons. July
s'arrête, indécise.

— Parlez! enjoins-je d'un ton coagulé.

Elle secoue la tête.

Je cherche du convaincant, mais tout va très vite : la porte s'ouvre à la volée et un mec est là, les jambes fléchies tenant un gros bidule bronzé à deux mains.

Ce garçon, d'une trente-sixaine d'années, a la distinction d'un accordéoniste de bal musette. Pantalon gris, chemise noire, cravate blanche. Pas de veston. Son arquebuse doit glavioter des noyaux d'avocados.

— *Hands up !* m'ordonne-t-il calmement.

Hands up. J'avais pas dix berges que je lisais ça dans les fascicules policiers que j'achetais dans la petite boutique de Mme Buéner, la marchande de journaux-papeterie de notre quartier. L'odeur qui flottait dans son estanco me rendait fou. Rien que pour respirer ces fragrances de papier journal et d'encre fraîche, je passais lui dire bonjour. C'était une femme maigre, avec toujours un fichu sur les épaules, le teint pâle, les mains noircies par le maniement des imprimés. Elle avait un petit air triste et gentil qui m'émouvait. C'est marrant, la vie. Quand on rencontre des gens, on ne sait jamais à l'avance desquels on va se souvenir plus tard. C'est pas une question d'importance, mais de « sensations ». Il y a ceux qui s'installent en vous, discrètement, et puis ceux qui tonitruent et vous disparaissent de l'existence à tout jamais.

Alors bon : *hands up*, comme dans les livraisons cacateuses de Mme Buéner.

Mais Sana, dis ! Hein ? Bon, tu m'as compris. Avec lui c'est quand il veut, où il veut, comme il veut ! Sinon il travaillerait aux Galeries Lafayette, rayon des dessous féminins (tout de même !).

J'ai immédiatement noté l'espèce de barre fixe vissée en haut de l'encadrement de la lourde et qui permet aux clients sportifs d'entretenir leur musculature antérieure.

Alors, dans le mouvement que j'effectue pour *hands uper*, j'opère une détente de tout mon être, empoigne la barre, replie mes jambes et propulse mes deux pieds dans la poitrine du gars.

L'accordéoniste à pistolet valdingue sous l'impact et se retrouve les quatre fers en l'air. Une balle écaille le plaftard. Je saute à pieds joints sur sa main toujours armée. J'entends craquer. C'est pas la pétoire, c'est son poignet.

Je ramasse l'arme et la soupèse.

— Un truc comme ça, lui dis-je, c'est bien pour buter un taureau, seulement ça déforme les poches quand tu vas dans le monde.

Et poum ! je lui en assène un coup sec sur la théière. Oh ! pas l'avalanche dans les montagnes Rocheuses ! La simple dose soporifique pour négocier la passivité d'un méchant.

Il s'endort sur place.

J'enfouille son artillerie de campagne dans mon futal et mon bénoche se met à prendre de la gîte comme s'il trimbalait une orbite double.

En garçon déterminé, je coltine julot jusqu'au plumard qu'il a eu tort de quitter et le ligo-bâillonne avec du matériel de tapissier. On ne dira jamais suffisamment combien ces gens sont précieux pour les auteurs de romans policiers !

Ce boulot achevé, je me tourne vers July.

Zob ! Elle a disparu.

Alors là, je m'enlise dans le saumâtre !

Le chat fera toujours « miaou », l'âne « hi-han » et les pompiers « pin-pon ». C'est ce que je pense en entendant survenir un gros véhicule rouge par l'allée cavalière.

Pin-pon! Deux notes!

Les casques de cuivre brillent au soleil. Et ma pomme, le pyromane, de trouver beau ce spectacle coloré.

Tout de même je les ai à la caillette, espère! Je ne la savais pas si redoutable, la bombinette incendiaire de Mathias! Dire que j'adore les style Louis XIII et que je viens de bouter le feu dans un château délicieux de cette époque! Car ça crame ferme. Le salon entier brûle et les flammes jaillissent des fenêtres qui ont explosé pour lécher la façade.

Le personnel a bien essayé de circonscrire le sinistre comme on dit puis (Béru, lui, dit circoncire), mais les extincteurs maison se sont montrés aussi efficaces que Mamie Cresson à Matignon. Fallait les pros. Ils arrivent! On a fait sortir les habitants de l'hostellerie et ils sont tous rassemblés sur l'immense pelouse : ceux qui

baisaient, ceux qui se cataplasmaient, ceux qui trico-
taient, ceux qui regardaient la téloche, ceux qui…

Tous, sauf Chilou et July.

Où sont-ils ? J'ai visité chaque chambre : *niente* !
Dans l'une d'elles j'ai repéré une valoche du Dabe que
j'ai formellement reconnue. Vuitton d'avant 14, constel-
lée d'étiquettes de palaces en provenance du monde
entier, principalement des Indes. Malle des Indes mystérieuses. Il a dû la trouver dans le coffre de sa vieille
Rolls quand il l'a achetée d'occase. En tout cas il n'est
plus dans sa piaule !

Et la mère Larsen, bordel ! Pourquoi a-t-elle mis les
adjas quand j'ai neutralisé son garde du corps (ou son
geôlier ?) ?[1]

— Ça sent le roussi ! murmure Rosette.

— Surtout pour nous, admets-je. On va profiter de
ce branle-bas pour filer.

— Nous n'avons pas de voiture.

— Il y a des vélos de promenade à l'usage des clients
sous le hangar, près des tennis. Viens !

Putain ! l'ai-je assez aimée et pratiquée, la « petite
reine » quand j'étais gamin, et même ensuite pendant
mon adolescence. C'est elle qui m'a fignolé des jarrets
de bronze. On dit que la bicyclette ça ne s'oublie pas,
tout de même c'est duraille de repiquer au pédalier
quand on trimbale son prose en Mercedes 500 !

---

1. Je demande à mes potes de l'imprimerie de respecter ma
ponctuation. Je sais que deux points d'interrogation successifs
font bizarre, néanmoins ils sont justifiés puisque l'un concerne la
phrase dans son ensemble et l'autre exclusivement la parenthèse. A
part ça, ça va, les gars ?

San-A.

Tu sais qu'elle me bat dans les côtes, Rosette ? A l'énergie, le dandinement Coppi !

— Tu fais beaucoup de sport ? ahané-je, parvenu au sommet de la crête.

— Tennis et natation.

— C'est pour ça...

Je me retourne. On distingue l'incendie, au loin. Une fumée noire qui monte, rectiligne dans le ciel. Heureusement que l'étui de plastique s'anéantit lorsque la bombe éclate, sinon l'enquête de la gendarmerie risquait de nous flanquer dans la béchamel.

On finit par trouver un autobus qui nous ramasse avec nos vélos et nous laisse à Chalon-sur-Saône. Et alors, tu vas voir comme le hasard est farceur ! Qui aperçois-je en déboulant du car ? Edmond Rebuffade, au volant de sa Ford Siesta. Sa grande bringue de bonniche est à son côté. Je m'approche du parking où ils sont arrêtés et je constate que l'ancien proviseur a glissé sa main entre les jambons de la môme. Sans doute lui avons-nous ouvert des horizons, lors de la fameuse soirée paillarde ? A moins que je sois tombé dans une chouette famille tuyau de poêle et que pépère chique les doux voyeurs innocents. J'en sais d'autres. C'est dur d'assumer ses glandes quand les mecs prennent du carat. Ils détellent mollo, les dabes, s'essorent jusqu'à la dernière goutte. Si peu qu'il y en ait, ça fait tout de même plaisir !

Je toque à la vitre. Il m'avise, devient radieux, ouvre sa portière, dégage sa main droite de la culotte qu'il explorait et hisse ses doigts au niveau de mes narines.

— Vous reconnaissez ? jubile ce dépravé tardif. Rien ne vaut la jeunesse ! Ainsi vous êtes encore des nôtres.

Venez donc dîner à la maison, ma femme vous fera un gratin de courge, c'est sa spécialité. Et des oiseaux sans tête ! D'accord ? Ensuite, on pourrait s'amuser de concert : je vois que vous avez une ravissante petite compagne bien tendre. Elle me rappelle une des mes élèves à qui je donnais des cours privés de maths au moment du bac : des nichons exquis, mon bon ; quand je les lui caressais, j'avais l'impression de jouer à la pétanque.

J'endigue les ardeurs explosives de mon récent ami.

— Edmond, lui dis-je, je crois me rappeler que, dans le texte consacré au château du *Chevalier Noir*, vous avez mentionné l'existence d'un souterrain ?

— Si fait, commissaire. Quelle mémoire !

— Vous précisez même qu'il est l'un des mieux praticables de toute la Bourgogne.

— Très juste ; pourquoi ?

— Vous l'avez emprunté ?

— Naturellement.

— Où débouche-t-il ?

— A la ferme du Renard Piégé, une construction qui menaçait ruine et qui se situe à quelques centaines de mètres du château.

— A qui appartient-elle ?

— Je ne suis certain de rien, mais le bruit m'est revenu que l'Anglais du *Chevalier Noir* l'aurait acquise avec l'intention de la transformer en annexe, si son affaire se développait.

*
* *

Ils ne se parlent pas.

L'homme au loup de velours se déplace à bord d'un véhicule spécialement aménagé pour lui. Une Renault

Espace bordeaux foncé, aux vitres teintées, luxueusement traitée. Un vrai petit salon séparé du conducteur par une vitre coulissante insonorisée. Quatre fauteuils opulents se font vis-à-vis. Entre eux, une table basse dont le piétement sert de bar. Sur un pied mobile, un poste téléphonique. Dans un angle arrière du véhicule, la tévé. Ça sent bon et c'est archiconfortable.

L'homme au loup se sert un Cointreau. Il dit à son passager :

— Ne me demandez pas de vin rouge, ici je n'ai que des alcools. Un Campari, peut-être ?

Le Gros mec ricane :

— Gigot ! Ça m'fera penser à Sana, il le raffole !

Puis il sort son étrange pistolet noir à silencieux de sa poche et en extrait le chargeur.

— Combien dites-vous-t-il qu'il y a de gus à sulfater, baron ?

Le big compte sur ses doigts.

— Quatre !

— Alors là, y a comme un défaut, râle Bérurier : y m'rest' plus qu'deux valdas en magasin ! Va falloir qu'on passe à la maison pour qu'je me munitionne.

— Nous n'avons pas le temps, riposte l'homme au loup, car nous ne nous dirigeons pas sur Paris ; je vous prêterai une autre arme pour terminer le travail.

Le Gros tord le nez.

— J'ai l'habitude de mes outils, grogne-t-il. C'est comme si vous prêteriez un violon d'occase à « Youdi Mais-nous-in » à la place de son « C'qu'a-dit-Marius » ! Vous n'pourieriez pas envoiler quéqu'un chez moi pour prendre les bastos d'r'change ? Ma bourgeoise sait où donc j' les range.

Le maître du F.P. (France Propre) semble agacé par

cette requête. Malgré tout, il tient à ménager sa recrue d'élite, sachant que les vedettes ont des caprices.

Il décroche le téléphone. Il mâchouille un numéro. Quand ça décroche, il dit :

— Bob ! Saute sur ta moto et va… (à Béru :) Où habitez-vous ?

Le Mahousse le lui dit et l'homme au loup répercute différents renseignements : l'adresse et le nombre de boîtes de balles avec un rappel du vaisselier où elles se trouvent. Il termine en recommandant au gars de lui ramener de toute urgence les boîtes à la champignonnière.

Un amour, le père Rebuffade ! Et qui ne mérite pas son nom. Il nous propose spontanément de nous conduire à la ferme du Renard Piégé, à condition qu'on passe prévenir son haridelle auparavant. On y va. Elle s'écrie *Hosanna, au plus haut des cieux* en me revoyant. La bise ! Promesse de venir claper le gratin de courge et les oiseaux sans tronche après notre bref voyage. Je l'entends qui chuchote à son époux : « Et si je mettais les draps noirs pour APRÈS ? » Il répond que c'est une excellente idée ! Bon, cette fois, je ne me pose plus de questions à propos du couple et de sa soubrette.

Ça brouhahate dans le secteur de l'hostellerie. Y a des voitures de gendarmes, d'autres de la presse locale. La fumée continue, mais moins épaisse.

Et soudain, tu sais à qui je pense ? A l'ange gardien de July 1er que j'ai abandonné sur le lit de leur chambre. J'espère de toute mon âme que le feu ne s'est pas propagé jusque-là.

— Mon Dieu ! égosille Rebuffade, le feu ! Un castel de cette valeur artistique ! Mais c'est épouvantable !

Il veut aller sur les lieux pour constater l'ampleur des dégâts et j'ai grand mal à l'en dissuader. Il contourne le bois de Chapeau Tricorne et s'engage dans un chemin creux qui, au printemps, est bordé d'aubépine en fleur, pines en fleur, pines en fleur, tsoin tsoin ! Les récentes pluies ont raviné cette voie vicinale et la tuture de l'ancien proviseur tangue dans les ornières.

Une fois parvenus à quelque deux cents mètres de la maison, et avant que ne cessent les arbres, je demande à mon vaillant pilote de stopper.

Il obtempère et murmure avec un soupir de regret :

— L'Anglais n'a pas donné suite à son projet, d'après ce que je vois : la ferme est toujours dans le même piteux état !

— Pourtant, il y a de la lumière à l'intérieur ! murmure Rosette.

Je regarde plus attentivement et, effectivement, je vois scintiller une lumière à travers une fenêtre plus ou moins démantelée du bas.

— Attendez-moi ici, fais-je.

Je décris un vaste mouvement tournant afin de prendre la ferme « à revers ».

Je marche dans le crépuscule, mettant les buissons à profit. Peut-être n'est-ce pas raisonnable de me pointer seul dans cette bicoque moins abandonnée qu'il y semble ?

Par acquit de conscience, je passe mon ami Tu-tues dans ma ceinture, après avoir mis le cran de sûreté. Tu vois pas qu'une bastos me parte dans les claouis ? Sana, fané à tout jamais de son bâton de maréchal ! Tu imagines le cortège des veuves place de l'Hôtel-de-Ville !

Les ultimes lueurs du couchant allongent l'ombre de ma silhouette jusqu'aux premières étoiles, dirait mon camarade Hugo (Victor pour les dames et Totor pour Juliette Drouet dont il aimait le minou).

J'arrive de la rase campagne, ayant perdu l'abri relatif des ronciers. S'il y a un guetteur dans la masure, je vais l'avoir dans le prosibus !

Mais il est stoïque, Antoine ; naturellement vaillant. Le courage n'est qu'affaire d'inconscience.

J'atteins un appentis où pourrit une vieille charrette aux bras de plainte tendus vers la nuit. Le mur est aveugle. Je le frôle jusqu'à l'angle de la façade. J'approche la fenêtre éclairée. La crasse a opacifié les vitres fêlées ; de la buée s'y ajoute et il est très difficile de voir à l'intérieur. J'y parviens grâce à un lambeau de verre manquant. Je distingue une vaste salle de ferme où subsiste un peu de mobilier : grande table, vaisselier bressan, des bancs, une horloge dont le balancier pend comme la zézette de Canuet sous sa douche, un fauteuil garni de paille, mais celle-ci s'est barrée au fil du temps et ledit fauteuil ressemble à un siège percé, cet ancêtre du gogue.

Icigo, deux personnes : Le Vieux et July Larsen. La ravissante, toujours en tenue d'intérieur, est allongée sur la table jusqu'au bassin, le reste de sa personne se trouve dans le vide, mais heureusement ses pieds mignons prennent appui sur l'un des deux bancs, de part et d'autre de Chilou, lequel est en train de déguster l'exquise Scandinave avec détermination et, je le vois, un infini plaisir.

Il use de la bonne vieille méthode dite de « l'enveloppe cachetée ». Sa langue vieillarde part du milieu de la cuisse, la lèche largement en remontant jusqu'à atteindre le centre géographique de la personne. Pour la France, c'est Bourges, pour une dame c'est le lieu-dit Clito. Là, il y a fouissage prolongé, forte intervention labiale, léger mordillage, plongeon du nez dans la fournaise, introduction effective du médius en renfort dans la région située sous le menton de messire Achille. Glabouillage et suçotage sont les deux mamelles de la France ! Le Dabe interrompt la manœuvre et sa bavarde se remet à repter sur la cuisse d'en face pour assurer le complet triangle des Bermudes. Ensuite il recommence dans le sens contraire. Cette pratique ne laisse pas July 1re indifférente puisqu'elle émet des râles qui en disent plus que des paroles sur son contentement organique.

Moi, ce spectacle me laisse perplexe. Ce n'est point là comportement de gens en danger ; de gens prisonniers.

Je continue de prendre mon jeton, attendant la fin de ces ébats bipartites pour interviewer les protagonistes, recueillir leurs premières impressions à l'issue de ce raid.

Malgré l'âge du partenaire masculin, le spectacle ne manque pas de grâce, la femme étant ravissante et l'homme surexpérimenté.

— C'est à quel sujet ? fait soudain une voix provenant des hauteurs.

Je lève la tête et aperçoit un monsieur en tenue sport : veste à carreaux, foulard, gants beurre-frais.

La seule incongruité du personnage : il tient une mitraillette en forme de squelette de cornet à piston et la braque sur ma personne.

CHAT CLOWN 16

Le réparateur Darty était plutôt jeune et portait une combinaison bleue agrémentée du sigle de la prestigieuse maison. Il farfouillait dans les entrailles mises à jour du poste avec circonspection. On sentait que cet entrelacs de fils plus ou moins ténus, que ces milliers de points de soudure, que ces pièces mystérieuses ne le rébarbatisaient pas. Il évoluait à travers ce bordel comme un poisson rouge à travers les algues de plastique de son aquarium.

Berthe, qui le couvait d'un œil concupiscent, murmura :

— C'est grave ?

— Votre contristor bougnazé qui est foutu !

— Je me disais aussi, soupira la Bérurière. Vous croyez qu'j'pourrerais regarder l'émission de Michel Drucker, ce soir ?

Le réparateur haussa les épaules.

— On va essayer !

Elle eut un élan de reconnaissance qui la fit mouiller pour cet appétissant garçon aux doigts de magicien.

— J'adore Michel Drucker, avoua-t-elle, rougissante.

Si j'eusse eu dix ans d'moins, c't'un homme comme ça que j'aurais épousé.

Le gars fit une moue prudente, préférant réserver son opinion.

Berthe hésita puis dit, le souffle rauque :

— J'ai idée qu'y doit avoir un sesque superbe, ce garçon ! Av'c un visage pareil, comment voudriez-vous-t-il que non ?

Le réparateur s'arrêta de réparer pour considérer la grosse salope. Il sourit à cette truie avide, sentant poindre une pipe carabinée. La sauter ne lui disait rien, mais il était partant pour se faire biberonner la bistoune, sachant combien, en l'occurrence, des lèvres épaisses et molles constituent un « plus » appréciable.

La Bérurière s'accroupit à son côté et avança sa main savante entre les jambes combinaisées du technicien.

— Moi, Michel Drucker, je pariererais ma culotte qu'il est monté dans le style solide-élégant, si vous voirez ce qu' j' veux dire ? Le paf de bonne dimension, qui fait pas d'esbroufe mais qu'est solide au poste et toujours paré pour les grandes manœuv'.

Sa dextre impertinente flattait maintenant de superbes roustons durs comme des œufs de poulette.

Le gars n'aimait pas perdre son temps. Il se releva et dégagea sa salle des fêtes pour présenter à sa cliente un zob très convenable malgré la présence de quelques comédons importuns à tête noire[1].

_____

1. Je sais que j'en effarouche, que j'en indigne, même, mais moi je trouve ça marrant et j'emmerde avec une totale ferveur ceux qui tordront le nez.

San-A.

— Très sympa, assura Berthe. C'est comme ça qu'
j'l'imaginais.

Et elle en fit ce que de droit.

Dès les premiers mouvements, le réparateur sut qu'il
avait affaire à une pro. La Bérurière lui tutoyait le joufflu avec cette autorité pleine d'assurance qui dénote la
femme expérimentée, capable de triompher des examens fellatiques les plus poussés. C'est pourquoi mar-
qua-t-il son désappointement d'un : « Ah ! non, chié,
bordel ! » catégorique lorsqu'on sonna à la porte. Trois
coups péremptoires ! De ceux auxquels on ne résiste
pas, même dans les circonstances délicates.

Berthe se redressa, torcha ses babines d'un revers de
manche et murmura :

— Je m'escuse. Faites-vous une p'tite flatterie pour
l'entret'nir du temps qu'j'revinsse.

Elle referma la porte du salon où le spécialiste res-
semblait à un poste à essence et alla ouvrir.

Tout de suite, elle ressentit un sentiment désastreux.
Le type qui se tenait sur son paillasson était habillé en
motard et tenait son casque sous son bras tel un escri-
meur entre deux assauts. Il avait une gueule de fumier,
des yeux clairs et durs, les mâchoires saillantes, et sa
main qui soutenait le casque s'agrémentait, sur le dos,
d'un hideux tatouage représentant une araignée.

Il dit :

— Vous êtes Berthe Bérurier ?

— Oui. C'est au sujet de quoi t'est-ce ?

— Votre mari qui m'envoie.

— Alexandre-Benoît ! Mais où est-il, bordel à cul ?
Ça fait plusieurs jours qu'il a disparu sans me donner
de ses nouvelles !

Le messager eut un rire plus dégueulasse qu'un cul de singe frappé d'hémorroïdes purulentes.

— Il est en mission secrète, déclara-t-il, et vous pouvez frotter votre gros cul avec un morceau de glace jusqu'à ce qu'il s'enflamme avant que je vous dise où il se trouve !

— Non mais, vous êtes mal embouché, mon gars ! explosa la Bérurière. Ma main sur la gueule, vous en direriez quoi t'est-ce ?

Prompt comme un boa gloupant un rat, le motard saisit le poignet de la Vachasse et le tordit.

— Arrête tes giries, tas de merde, on est pressés !

Il plantait son regard de salaud dans les yeux béatifiques de Berthy. Il avait une telle expression d'intense cruauté qu'elle se mit à glaglater.

— Vous me faites mal ! gémit-elle.

— Toi aussi, morue, tu me fais mal. Tu me fais mal aux seins ! Ton mec me charge de te dire qu'il a emporté son feu spécial : le noir à silencieux que Mathias a mis au point ; tu sais de quoi il parle ?

Berthe acquiesça.

— Il veut que tu me remettes les paquets de balles qui vont avec. Paraît qu'elles sont dans votre buffet de salle à manger.

— Oui, je sais.

— Alors remue ta graisse rance et va me les chercher !

Il lâcha la pompeuse de réparateurs TV. La Gravosse avait la poitrine grondante ; des sanglots de fureur l'étouffaient. Elle se rendit au meuble servant d'armurerie à son bonhomme. Les paquets de balles étaient rangés à côté de l'écrin abritant un manche en corne muni d'une vis pour découper le gigot, ainsi que le coutelas propre à cet usage. Il s'agissait d'un cadeau de mariage dont ils ne s'étaient jamais servis, le jugeant trop sophistiqué pour une besogne aussi simple.

Elle avança la main vers les boîtes de carton gris, sans étiquettes. Dessus, on avait simplement écrit au feutre noir « M 9 ». Mais elle se ravisa et prit d'autres boîtes de balles destinées au Browning. Que son gros lard vienne donc chercher les bonnes en personne ! Mission ou pas, elle s'insurgeait contre ses manières désinvoltes.

Le motard tatoué lui arracha les emballages des mains pour les fourrer dans les poches de sa combinaison de cuir.

— Tu dois avoir une de ces babasses, la mère ! ricana-t-il. Un jour on viendra te fourrer avec des potes à moi qui adorent le gras-double. T'as des yeux de salope, ça te plaira !

Sur cette promesse qui laissa Berthe rêveuse, il s'éclipsa.

Je regarde le gentleman à la fenêtre, sa mitraillette bizarroïde qui pend comme un gros fruit noir.

Il répète :

— C'est à quel sujet ?

Bon, je plonge.

— Je souhaiterais m'entretenir avec le vieux monsieur qui est dans cette pièce, dis-je en montrant la fenêtre.

Il déclare :

— Ne bougez pas, on vient !

Et, effectivement, une minute plus tard, un type

ouvre la porte. Un gros Noir avec les cheveux coupés très court, avec une épaisseur de crins sur le sommet de la tête. Il porte un jean et un T-shirt sur lequel est écrit « Princeton University ». Mais, selon moi, il n'y a pas fait ses études. Le blanc de ses gros yeux est jaune bile avec un petit filet de vinaigre. C'est un gars qui connaît son affaire car, d'un mouvement rapide, il écarte le pan de mon veston, cueille mon pote Tu-tues à ma ceinture, en retire le chargeur avec une dextérité inouïe et me le remet en place non sans avoir fait tomber sur le sol la balle engagée dans le canon. Puis il lance mon chargeur au loin, dans une touffe d'orties.

— *Go in !*

J'entre.

Le gentleman à la mitraillette tient à présent son arme par le canon. Il est descendu au rez-de-chaussée et vient d'allumer un cigare. Il semble calme, presque distingué malgré sa seringue, et il sent la bonne eau de toilette de qualité, style Patricia de Nicolaï.

Dans la salle où nous sommes, il n'y a que des tabourets plus ou moins bancaux. T'es sûr que le pluriel de bancal c'est bancaux ? Non ? Bon, disons qu'il prend un tabouret bancal et m'engage, du geste, à en faire autant. T'es content ?

— Qu'est-ce qui vous amène dans cette bicoque ? me demande-t-il, avec un accent anglo-saxon admirablement maîtrisé.

— Je vous le répète : je veux parler au monsieur qui se trouve à côté.

— Comment savez-vous qu'il est ici ?

Je lui désigne ma tempe.

— Si vous saviez tout ce qui se passe là-dedans,

vous auriez le vertige et, pour couper court, je viens de le voir.

— Qui sont les gens qui vous amené ici et dont l'automobile reste sous le couvert des arbres ?

— Un amateur de châteaux Louis XIII qui savait qu'un souterrain unit l'hostellerie du *Chevalier Noir* à la ferme du Renard Piégé, en compagnie de deux copines.

Il va prendre le grand Noir par l'épaule et l'entraîne à l'écart. Long conciliabule. Ensuite, le Noir sort et l'homme élégant revient près de moi.

— Que voulez-vous de notre ami d'à côté ? me demande-t-il.

Je souris.

— Ecoutez, monsieur, je trouve déjà singulier que vous accueilliez les visiteurs avec une mitraillette, mais de plus vos questions sont franchement indiscrètes.

— Pourquoi n'accueillerais-je point avec une mitraillette les visiteurs qui se présentent en ayant un revolver à la ceinture ?

Touché.

Je salue son objection d'un coup de chapeau à plumes, très mousquetaire. Et brusquement, il change d'attitude.

— Attendez ici, je vous l'envoie, décide-t-il, et il me laisse en plan.

Il fait frisquet dans cette maison croulante. Franchement, je nage dans la plus sordide incompréhension.

On m'a embarqué sur une galère sans rameurs qui navigue à la va-comme-je-te-pousse, au gré des courants et des vents. Tout semble incohérent, comme dans un cauchemar.

La porte s'ouvre, Achille surgit, l'air furax. Il se précipite sur moi en glapissant :

— Ah ! ça, allez-vous enfin me lâcher les baskets, San-Antonio ? Vous êtes chiant, à la longue, mon vieux !

Je le regarde, essayant de voir s'il est sincère ou s'il m'invective pour donner le change à des geôliers supposés. Pourtant il donne l'impression d'être très maître de soi et de son destin, Je lui adresse un clin d'œil, pour le tester, et cette mimique complice attise sa rancœur.

— Qu'est-ce que ça veut dire ! s'emporte le Dirlo. De quel droit me poursuivez-vous ?

— Vous aviez disparu, bredouillé-je.

Il rugit :

— Alors je n'ai plus le droit de partir en voyage où bon me semble, quand bon me semble ?

— J'ai des choses capitales à vous dire, patron.

— Vous me les direz quand je vous demanderai votre rapport ; en attendant, foutez-moi la paix ! Je vous ai confié une enquête très très importante, mais au lieu de traquer ces tueurs de bougnoules à Paris, vous venez vous goberger en Saône-et-Loire dans une hostellerie de luxe, avec quelqu'une de vos chères pétasses ! Nous réglerons cette histoire à mon retour au bureau. Je vous préviens : il y aura des sanctions. Pas de cadeau ! Maintenant, fichez le camp et occupez-vous du travail qui vous est confié ; seulement de cela, vu ?

Je dois être pâle comme une merde d'alpiniste bivouaquant dans une anfractuosité de rocher. Dur dur de se laisser ramoner de cette manière.

Pour couronner la scène, il va à la porte donnant sur l'extérieur, l'ouvre en grand et, de son bras libre, me fait signe de décarrer.

En passant le seuil, je m'arrête à sa hauteur pour, une ultime fois, plonger mon anxiété dans son regard furax. Il ne faiblit pas.

— Adieu, monsieur le directeur !

Et puis, une idée subite me vient et je chuchote :

— La doublure de July Larsen a été assassinée au *Royal Chambord*.

Le Dabe ne bronche pas, mais il me semble découvrir un cerne sous ses lampions.

Je retourne à la voiture. Chemin parcourant, je croise le Noir herculéen.

— Ça sent l'automne, hein ? lui fais-je.

— Comme qui dirait, répond-il avec un sourire peu amène.

Mes compagnons sont hors de l'auto. Ils discutent avec animation.

Comme je m'enquiers de la nature de leur émotion, le proviseur en retraite éclate :

— Mais qui sont ces gens que vous venez de visiter, commissaire ? Figurez-vous que le Noir adipeux a exigé que nous descendions de l'auto afin de la fouiller. C'est une atteinte aux droits de l'homme. Je compte déposer plainte et je vais me rendre directement à la gendarmerie. Ce sombre voyou a failli désosser ma Ford, allant jusqu'à retirer les banquettes et explorer sous le capot ! Les douaniers soviétiques ne faisaient pas mieux au temps du communisme.

Je le calme de mon mieux, lui laissant entendre qu'il vient de participer à une enquête des Services spéciaux et que je me fais fort de lui obtenir la médaille du Mérite pour services rendus à la France. Du coup, il cesse de maugréer. Encore un qui aime le ruban !

Il manœuvre saccadé, biscotte son excitation, et

on repart. Moi, de plus en plus pantois. L'attitude du Vieux me rend comateux. Par certains côtés, il me donne l'impression d'être, sinon prisonnier, du moins sous surveillance ; par d'autres, il paraît avoir conservé son libre arbitre, puisqu'il peut faire minette à July et me chasser comme un palefrenier qui aurait fait boire un seau plein de champagne à un crack de Longchamp avant une course.

Je suis assailli par de noirs pressentiments.

La bagnole tangue à l'extrême sur le chemin détrempé. Rosette a posé sa tête sur mon épaule.

— Au fait, dit-elle, j'ai découvert dans les notes laissées par Mathias, le propriétaire de la fameuse Estafette qui a servi à l'enlèvement de Jérémie Blanc et de Violette.

— Sympa. Tu aurais pu me le révéler plus tôt !

Elle chuchote à mon oreille :

— Ce n'est pas ma faute si tu me rends folle !

— Alors, ce nom ?

— Jean-Marie Courtial, Electricité, 8, rue du 116e Régiment de Chasseurs Alpins, Vernouillet, 78.

— Et comment as-tu déniché ce précieux tuyau, ma belle âme ?

— L'annuaire téléphonique des Yvelines était étalé sur le bureau de Xavier, un papier sur lequel le Rouquin avait noté les bribes de renseignements concernant l'Estafette marquait une page. Sur cette page, Mathias avait tracé un trait au Stabilo sous l'abonné Courtial.

— Merci, dis-je.

Et ça me revigore un brin. Du coup je me dis qu'il a raison, le Tondu : avec tous mes hommes disparus, qu'est-ce que je branle ici ! Je perds la boule ou bien tu crois que ce sont déjà mes neurones qui partent en sucette ?

A cet endroit de ce passionnant récit, la tire du proviseur stoppe et se met à patiner. Je lui conseille d'enclencher la seconde, mais c'est inefficace. Alors je descends pour mesurer l'ampleur du désastre. Ce vieux con a dérapé dans une ornière pleine de boue fluide et sa roue s'y est enfoncée jusqu'à l'essieu.

— Il faut qu'on vous pousse, annoncé-je. Venez m'aider, les filles !

Elles se pointent en renfort. Je leur montre sur quelle partie arrière de la guinde chacune doit s'arc-bouter et qu'à mon commandement : Ho ! Hisse !

On a une énergie de poseurs de rails, tous les trois. Surtout la soubrette lécheuse, habituée aux durs travaux.

— Vous y êtes ?

Elles y sont !

— Alllez !!!!

On bande ses muscles, conjugue ses efforts.

L'auto crachote rageusement. La roue embourbée bat le beurre. Je pousse à m'en faire craquer la ceinture abdominale (que l'infâme Bérurier nomme : « la ceinture abominable »).

On dirait que ça frémit, non ?

— Encore ! N'emballez pas le moteur, Edmond !

— N'ayez pas peur !

Peur ! Le dernier mot qu'il aura proféré, ce vieux chéri !

Juste qu'on procède à un second arc-boutage, une terrifiante explosion se produit, qui nous part à la renverse, les filles et ma pomme. Le tout-puissant crash anéantisseur ! Une pluie de verre s'abat sur nous, des bouts d'on ne sait quoi : tôle et viande mêlées. T'as le cendrier et les couilles à Rebuffade étrangement réunis par l'infortune du sort. Le cerclo du volant souillé de cervelle et aussi une main avec une montre-bracelet dont la trotteuse continue de tourner (c'est une montre à mouvement). Indescriptible !

La bonniche a une portugaise arrachée, Rosette a dérouillé à l'épaule ; juste messire Bibi qu'est indemne parce que je m'étais courbé bas.

Je viens de piger pourquoi le Noir a voulu « fouiller » l'auto. En réalité, il y a placé une bombe à léger retardement, le salaud !

Je ne suis pas aidé !

CHAT CLOWN 17

— La fumière !

Telle est l'exclamation poussée par le tueur sans gages.

Il regarde les boîtes que vient de lui remettre le motard tatoué.

— Les balles de mon browninge, fait-il. Ou y a gourance, ce dont il m'étonnerait car cette pute a l'œil, ou bien c'est des représentailles biscotte j'sus pas rentré à la tome depuis plusieurs jours, et c'est pour cette aversion que j' me pencherais. Berthe, c'est la gueuse finie, la vraie pourriture quand ell' est en r'naud. Bon, v'savez pas, Monseigneur Dupanloup ? J'vais aller chercher mes boîtes moi-même en personne !

— Non ! fait catégoriquement le chef. Nous n'avons que trop perdu de temps. Vous accomplirez le travail avec une autre arme ; moi aussi je dispose d'un 9 millimètres.

Il rabat un petit panneau d'acajou de sa tire super-agencée et sort d'une cavité deux pétards sérieux, des calibres de pros, pas du tout conçus pour le pique-nique.

— Choisissez !

Sentant qu'il lui faut se soumettre, Bérurier s'empare d'un outil chromé à crosse de corne ; très bel objet qui pourrait servir de presse-papiers.

— Il est plein à ras bord, commente l'homme au loup de velours noir, et vous serez surpris par sa souplesse. Ce n'est pas du tout le genre d'arme dont la détente risque de vous fouler le poignet. Avec ça, tuer est un plaisir !

Bérurier opine.

— Maintenant, descendons ! décide le « président du F.P. ».

Ils mettent pied à terre. Sont présents, le motard-estafette, le chauffeur du « big boss » plus nos deux « amis ». Ils se trouvent près de la Seine dont le languissant ruban d'argent serpente dans la campagne. Des falaises crayeuses bordent le fleuve le plus français de ton livre de géo, après la Loire. On distingue des espèces de grottes sur le flanc desdites falaises. Un sentier étroit, gagné par la mauvaise herbe (pourquoi « mauvaise herbe » ? toute végétation est noble et belle), s'élève doucement en direction des grottes.

Le motard ouvre la marche, le chauffeur la ferme. Ils montent en ahanant car ce ne sont pas des sportifs.

— C'est là que vous placardez mes anciens collègues ? demande le Gros d'un ton rigolard.

— Ces anciennes champignonnières désaffectées m'appartiennent, fait le chef.

Qu'aussitôt, il regrette cette confidence et décide qu'avant longtemps il faudra se débarrasser de son précieux auxiliaire. A quoi sert de celer son visage si c'est pour révéler, de façon indirecte, son identité ? En se déclarant propriétaire d'un terrain, on livre son nom ! Mais la chose lui a échappé.

Le motard aussi devra être zingué. Pas le chauffeur, par contre, puisque c'est son gendre !

Ils parviennent à l'orée de la caverne. Alors Béru s'arrête avec la brusque détermination d'un cheval inquiet.

— Disez-moi, murmura-t-il, j'voudrerais bien qu'vous me passiez un masque à moi z'aussi ; ça me gêne de buter des potes qui sauront qui est-ce j'suis.

— Nous n'en avons pas, coupe le « président », mais baste, un moment de gêne est vite passé.

Bon, alors ils entrent. Trois gaillards coiffés à la Hun s'interposent, avec chacun un pistolet-mitrailleur.

Reconnaissant les survenants, ils les saluent avec onction, componction et coordination.

Dedans, cela se présente pas comme tu pouvais le supposer. La grotte se subdivise en une enfilade de salles rudimentaires où règne une fraîcheur humide. Malgré qu'on y ait stoppé la culture de ce végétal sans fleurs ni chlorophylle, le lieu sent toujours le champignon.

— Où sont vos pensionnaires ? questionne le champignonniste.

Les deux gardes indiquent la salle suivante. Là, l'obscurité règne en maître.

— Eclairez, bon Dieu ! rage le chef.

Un de ses sbires se précipite et se met à tâter le sol jusqu'à ce qu'il trouve un câble noir qui sort d'un petit groupe électrogène. Il rejoint un commutateur rudimentaire qu'il actionne. Une lumière d'une grande violence retentit (tellement elle est éblouissante !). Elle illumine un groupe dont chaque membre est garrotté.

Sont rassemblés, dans un triste pêle-mêle : Pinaud, Mathias, Jérémie et Violette.

Tous ont la gueule saccagée, crépie de sang séché, et fleurie d'ecchymoses plus ou moins laides. Jérémie qui est le plus mal en point, a les deux yeux fermés et formidablement enflés, les arcanes souricières (Béru dixit) éclatées, les lèvres en compote.

Bérurier laisse aller son regard sur cette navrance.

— Ben merde, vous leur avez pas fait de cadeau à mes collègues ! Pourquoi t'est-ce vous les avez pas finis à la main, du temps que vous y étiez ?

— Parce que je tenais à ce qu'ils périssent de la vôtre, mon ami, répond Loup-Noir.

— C't'indiscret d'vous d'mander la raison ?

Le « président du F.P. » saisit Béru par un bras et l'entraîne derrière le gros projecteur qui arrose la salle si copieusement.

Bérurier découvre alors une caméra 16 mm montée sur un trépied.

— Nous allons vous filmer en train de liquider vos anciens copains. Un document pour nos archives.

— C'est pas très corrèque ! bougonne le Gros.

— Par contre c'est plus prudent. Avec ce film dans mon coffre, je serai tout à fait tranquille à votre sujet, Bérurier ; je saurai que vous demeurerez à tout jamais le fer de lance de notre croisade !

Le Mastar en est soufflé.

— Alors, vous !

Mais le sourire angélique qu'il lit sous le masque le fait renoncer à tout réquisitoire. Il réalise que messieurs les extrêmes-extrémistes ne sont pas des gens de tout repos.

Alors il branle du chef.

— Quand vous voudrez ! fait celui-ci en montrant les quatre victimes expiatoires.

Dans certains cas, il faut savoir décider vite.

La position que nous occupons est très inconfortable. Nous voici hagards devant une Ford Siesta déchiquetée, ayant encore dans son habitacle un steak tartare qui fut proviseur, adepte du vol à voile, partouzard passif et châteaulologue averti. La bonne s'est évanouie après avoir découvert son oreille à ses pieds et, dans l'auto, son patron qui n'attend plus que des câpres et du ketchup pour boucler sa trajectoire terrestre. Rosette, mieux armée pour le danger, se contente de rester verte et silencieuse en laissant pendre son bras esquinté.

Le moment est venu de lui sortir ma bonne vieille boutade des veillées près de l'âtre :

— Tu vois, chérie, avec moi c'est comme aux Galeries Lafayette : il se passe toujours quelque chose !

Je te disais, tout de suite après les trois astérisques qui précèdent, que dans certains cas il convient de décider rapidos.

Je me retrouve tout à coup absolument lucide et calme. L'esprit clair comme de l'auroch (Béru).

Je fouille mon veston, sors une petite boîte en plastique contenant une seringue de pas quatre centimètres de long dont j'injecte le contenu dans la fesse de la maîtresse servante.

— Qu'est-ce que c'est ? fait Rosette.

— Un produit dû à ton patron, ma douceur. Deux jours d'un bon sommeil assuré. A notre époque chiatique ça n'a pas de prix. Maintenant, tu vas te montrer à la hauteur de mon amour. File à pied jusqu'à la route principale et fais du stop. Dis qu'il vous est arrivé un grave accident à ton ami Rebuffade, à sa bonne et à toi. Vous rentriez d'une promenade dans la campagne lorsque la voiture a explosé. Pas un mot sur moi ! Pas un mot sur la ferme et, a fortiori sur l'intervention du vilain Noir. Votre auto a fait explosion, tu ne peux rien dire d'autre. Le conducteur a été tué et sa passagère grièvement blessée. Répète ta chanson aux gendarmes, peut-être auront-ils des doutes, mais ne démords pas de ta version, quitte à laisser croire que vous partouziez en forêt avec le vieux. Dans les heures qui viennent, je te tirerai de cette situation embarrassante. Le mieux est que tu restes à l'hôpital pour ton épaule, en exagérant tes souffrances.

Tu sais ce que me répond cet ange de douceur et d'énergie ?

— Je n'aurai pas à exagérer !

Et c'est vrai que la douleur la fait grimacer !

CHAT CLOWN 18

Moi, tu l'as compris : pas question, dans ces conditions, d'abandonner les comptoirs de l'Inde ! Malgré l'admonestation du Vieux m'enjoignant de foutre mon camp, je reste ! Comme dit encore Hugo : « Il y avait de quoi reculer ; il avança ! »

J'avance. Arriver dans une telle hostellerie pleine de gens louches armés, desservie par un souterrain, comme dans les meilleurs *Fantômas*, et où l'on n'hésite pas à piéger ta chignole pour réduire ses occupants en confiture de viande, oui, mettre ses pinceaux dans un coinceteau aussi peu banal m'empêche de prendre mes distances. Si je me soumettais, je ne serais plus San-Antonio, et si je n'étais plus San-Antonio, t'en serais réduit à lire des vrais bouquins et ton moral s'en ressentirait ; si ton moral s'en ressentait, tu deviendrais invivable, ta femme te quitterait, tes enfants et tes amis se détourneraient de toi, alors tu comprends bien que je dois coûte que coûte rester sur mes positions !

Je me dis très succinctement ceci :

« July Larsen et le Vioque ne vont pas pouvoir s'éterniser dans cette ferme en ruine inapte à les loger. Alors

de deux de mes choses l'une : ou bien on les réintègre
dans l'hostellerie, ou bien on les évacue vers des contrées
plus tranquilles. Les ramener au *Chevalier Noir* me
paraît improbable ; l'incendie qui l'a endommagé aura
attiré la presse locale, des gendarmes et des curieux.
Donc, on va les embarquer. Comme je n'ai pas aperçu de
véhicule près de la ferme, je conclus que celui qui doit
les prendre n'est pas encore arrivé. »

J'ajoute que l'explosion de la Ford va rameuter un
trèpe pas possible et que, donc, ils ont l'intérêt à se
casser fissa, tous.

J'en suis là de mes perspicaceries quand je vois
radiner un gros véhicule blanc frappé d'une croix bleue
sur ses portières avant. Une ambulance. On l'a aména-
gée dans une énorme chignole ricaine, large comme
le carrosse d'apparat d'Élisabeth II. Les branches du
sous-bois griffent les ailes du bolide qui s'en vient
tanguant. Je distingue un seul homme au volant. Alors
tu sais quoi ? Je me place sur le chemin, bras en croix,
ma lampe électrique laser (modèle réduit) en main, lui
adressant des signes de naufrageur pour lui intimer de
stopper ; ce qu'il fait.

Il actionne son abaisse-vitre électrique et se défenes-
tre à demi.

— Qu'est-ce qu'il y a ? s'inquiète-t-il.
— Vous allez à la ferme du Renard Piégé ?
— Ouais, pourquoi ?
— Vous êtes seul ?
— Ouais, pourquoi ?

Je l'inonde de mon faisceau éblouissant. Il a une casquette noire à longue visière, le nez bourgeonnant, une
moustache grisonnante, des bajoues flasques.

— Vous venez de Chalon ?

— Ouais, pourquoi ?

— Comment se nomme votre entreprise ?

— Taxi et ambulance Chevalaux Camille, pourquoi ?

— On vous a téléphoné du *Chevalier Noir* ?

— Ouais, pourquoi ?

Je change ma loupiote de main, c'est-à-dire que je la
tiens de la pogne gauche afin de rendre ma droite disponible et donc opérante. Il est ébloui, aveuglé, même,
par l'impitoyable lumière. Alors je change mon faisceau
en chandelle d'un crochet sec et dur à son menton de
prognathe. Il ne dit pas un mot, ses yeux ressemblent au
sigle du dollar et sa tête pensante devient une tronche
penchante. J'ouvre sa portière et il choit dans la terre
grasse du mauvais chemin.

Il a aussitôt droit à sa piqûre de dorme car la partie
qu'il me reste à jouer va être délicate et je ne peux prendre le risque d'un retour intempestif de l'ambulancier.

Je lui ôte sa blouse blanche et sa gâpette. Me fabrique
des bajoues avec du chewing-gum. A côté de lui, sur le
siège passager, se trouve un gros cache-nez de laine
tricoté par Mme Camille Chevalaux en personne. Je le
noue à mon cou. La nuit fera le reste. De toute façon,
en voyant survenir cette ambulance, ils n'auront
aucune méfiance, puisqu'ils l'ont commandée.

Il roulait les « r », Chevalaux. Je les roule aussi.

Parvenu devant la ferme, j'ai filé deux coups de
klaxon péremptoires et « l'élégant » est venu déponner.

Moi, sans me casser, je suis resté au volant, juste j'ai
abaissé ma vitre, comme le fit naguère le vrai conducteur.

— Y a besoin de la civière ? ai-je demandé. Parce que si oui, faudra m'aider : je suis seul.

Le gars me répond qu'un brancard est inutile, le vieillard à convoyer étant seulement très malade.

— C'est pour où ? je demande.

— On ne vous l'a pas dit ?

— C'est mon fils qui a pris la communication et il est pas très fufute.

— L'aéro-club de Chalon.

Je descends de « mon » ambulance en me composant une démarche lourdingue d'arthritique et vais ouvrir la double porte arrière. Dedans, il y a une civière fixée par un système de mâchoires et deux sièges en ligne.

J'attends en toussant à fond la caisse pour accréditer une crève mémorable.

Bientôt je vois surgir Achille, « soutenu » par July et le Noir dynamiteur. On l'installe sur le lit mobile. Il joue le jeu et feint le gonzier à toute extrémité.

La môme Larsen prend l'un des sièges, « l'élégant » l'autre et je referme les portes.

— Vous venez aussi ? demandé-je au gros Noir.

— Je viens aussi !

— Alors passez devant avec moi.

Et poum, nous voilà partis.

Tout en conduisant, je me dis qu'à l'aéro-club de Chalon, le trafic aérien devient décidément aussi important qu'à Charles-de-Gaulle.

L'ambulancier ayant pris la route opposée à celle qu'avait adoptée le pauvre Rebuffade, je l'emprunte donc en sens inverse.

L'ami Noirpiot parle un français en haillons. Faut y mettre du sien pour le comprendre. Il me demande si c'est loin, l'aérodrome. Je lui rétorque que non, pas très.

Il a l'air soucieux, tézigue. Son nez est large comme si sa figure avait servi de coussin à un éléphant. Sa coiffure à la con le fait ressembler à un gugus. Cette idée qu'ils ont, ceux d'aujourd'hui, de mutiler leur tignasse ! Ils se font des coupes à l'ananas, d'autres à la noix de coco. Y en a, comme lui, qui cultivent le rasibus triple zéro jusqu'au-dessus des oreilles et qui, dans le haut, laissent exubérer une grotesque crinière. J'ai chaque fois envie de les interpeller pour leur demander à quoi ça correspond dans leur cervelle, ces simagrées. Se croient-ils plus beaux ainsi ? Ou bien s'imaginent-ils, ces pauvres nœuds, qu'une pareille tronche leur compose une « personnalité » ? Ils ne sauront jamais que la personnalité, c'est dans le regard qu'on la porte, quand on a la chance d'en posséder une !

Je pilote calmos, évitant de m'embourber à mon tour. Pauvre cher Rebuffade, victime de sa gentillesse. Il n'aurait pas été si serviable, il vivrait encore ! J'évoque le boulot de nos anges gardiens ! Nous étions quatre dans une bagnole piégée qui allait exploser d'une seconde à l'autre. Et puis le proviseur fait une fausse manœuvre qui contraint ses trois passagers à descendre, leur accordant, de ce fait, la vie sauve !

— Enlève voir ta casquette ! me fait brusquement le *colored*.

— Quelle idée ?

— Je veux me rendre compte de quelque chose.

Là, j'ai du mal à déglutir ! Ça cotonne dans ma gargante. Tu veux parier que ce salaud m'a retapissé ?

Comme je ne m'exécute pas, c'est lui qui, d'un geste preste, arrache mon couvre-chef. Il rit sur écran large.

— Je savais, assure-t-il. T'es qu'un gamin, mec ! Quand tu te déguises, change de parfum et de chevalière !

Il sort un feu de sa poche et me le pointe entre deux côtes.

— Maintenant tu t'arrêtes ! L'endroit te plaît, pour mourir ?

J'ai pas le temps de gamberger, c'est l'instinct qui décide pour moi. Voilà qu'au lieu de freiner j'enfonce le champignon : tactique classique. La grosse ricaine rugit et fait un bond. A présent tant pis pour les ornières : si je m'embourbe, je suis râpé ; la vitesse est ma seule planche de salut. A cette allure, avec les fûts qui bordent la petite route, si je lâche le volant on emplâtre un arbre, et comme le négus est à la place du mort...

— Tire donc, lui fais-je, tu joues ta garce de vie à pile ou face, mec.

Lui, c'est un gars aguerri, je te promets. Il a subi des entraînements sérieux au cours desquels on lui a enseigné à ne jamais lâcher les pédales, non plus que son flingue.

Sans mot dire, il cueille mon revolver à ma ceinture, celui-là même qu'il a consciencieusement vidé tout à l'heure, le jette à l'arrière de l'auto, rempoche le sien et sort un coutelas effilé de sa chaussette qui recelait une gaine de cuir.

Il pointe le bout de la lame sur mon bas-ventre.

— Ralentis, sinon je t'enfonce du fer dans la bite, malin.

Moi, au lieu de réagir, je me prends à réfléchir aux péripéties de cette rude journée. Je me dis : « A gauche ou à droite ? »

« Il » est à gauche. Dieu soit loué. « S'il » s'était

trouvé à droite, c'est-à-dire dans la poche côté passager, c'était naze.

Je continue de bomber féroce tandis que ma paluche gauche, mine de rien, se faufile secrètement jusqu'à la vague de mon grimpant.

Une brûlure me point au bas-ventre. Le sagouin ! Il va m'écouiller ! C'est le type à ça ! Cette truffe noire, rien ne l'arrête.

Réagis prompto, Tonio, sinon tu ramasseras ta biroute sur le tapis de sol.

J'assure l'outil dans ma pogne. Souviens-toi, Barbara : dans la chambre de la môme July, au *Chevalier Noir*, j'ai engourdi le feu de son garde du corps après avoir mis ce dernier groggy.

Cran de sûreté ?

Relevé, mon capitaine.

Alors, feu à volonté !

Bien, mon capitaine.

Je file un coup de frein à la désespérée qui envoie mon tagoniste dans le pare-brise. Mais déjà il volte pour me suriner. Alors je largue ma marchandise sans plus attendre. Tout en pressant la détente (et non la gâchette, comme disent les ignares), je compte mes coups. Une marotte chez moi ; y a que ceux que je tire avec mon zob que je ne compte pas !

— Un... deux... trois !

Trois, c'est réglo. Trois coups au théâtre ; trois minutes pour faire cuire un œuf ; les trois évêchés ; les trois lanciers du Bengale, les trois mousquetaires, les trois orfèvres...

Je ne sais trop où il a encaissé ce plomb brûlant, le bronzé. J'ai flingué en remontant. A première vue, il a morflé la première dans le bide, la seconde dans l'estom' et la troisième dans les soufflets. Il a une vilaine toux qu'accompagne une mousse rouge à ses lèvres. Et ma pomme de conduire toujours façon Castelet. A l'arrière, ils ont dû percevoir les détonations ; j'espère qu'ils les ont attribuées à l'échappement de la guinde. Je file un coup de saveur par un judas pratiqué dans le verre dépoli de la séparation. Mes trois clients me paraissent détendus. Ils bavassent comme si de rien n'était.

Alors Bibi repousse d'un coup d'épaule le cadavre du Noir qui vient de glisser contre lui, après quoi, il décroche le téléphone fixé au tableau de bord. J'obtiens les renseignements, dans un premier temps, puis, tout de suite après, la gendarmerie. Je demande à parler à l'instance suprême qui est, en l'occurrence, le lieutenant Cajofol : un garçon bien, comme tous les gendarmes. Je lui raconte qui je suis. Il me connaît ; c'est chouette, non ?

Ça fait comme un arceau en taule par-dessus le porche et on y a fixé des lettres lumineuses qui racontent : « Gendarmerie Nationale ».

Je pénètre dans une vaste cour, style un peu caserne. Je vois dans mon rétroviseur que les portes se referment derrière nous. Près d'un perron, se trouve une escouade de gendarmes copieusement armés. Je décris un arc de cercle et stoppe à leur hauteur. Ensuite de quoi, je descends du véhicule et adresse un geste à la « troupe ». Les gendarmes se disposent en éventail derrière l'ambulance.

Dès lors, comme disent les politicards dans leur tchache, j'ouvre les deux portes « passagers ».

— Nous voici arrivés, lancé-je, tout le monde descend !

Je n'ai pas recoiffé ma gâpette à longue visière et j'ai glavioté les boules de chewing-gum qui me déguisaient en hamster, si bien que ces trois personnages me reconnaissent illico (pour ne pas dire dard-dard).

Leur stupeur ! Surtout de la part de l'« élégant » qui me croyait transformé en puzzle après le coup de sa bombe. Mais le comble des combles, le fin du fin, c'est lorsqu'ils se voient cernés par une escouade de gendarmes armés de mitraillettes.

— Que signifie, San-Antonio ? fulmine Chilou.

J'en ai des frissons de fièvre qui me partent du rectum pour atteindre des zones mieux ventilées de ma personne.

Ah ! non. Il va pas remettre le couvert, Pépère, maintenant qu'il est en lieu sûr, sauvé de tout danger !

Je me plante devant lui.

— Faites pas chier, Achille, ç'a été assez duraille comme ça. J'ignore à quel drôle de jeu vous jouez, mais je n'ai pas envie d'en apprendre les règles !

Il pointe un doigt menaçant vers la nuit pourtant sereine de la belle Saône-et-Loire.

— Foutez le camp ! Et ne réapparaissez jamais devant moi, monsieur. Je vous dégrade, vous destitue, vous renie ; allez ouvrir boutique sous d'autres cieux, espèce de lamentable paltoquet !

Superbe, il s'adresse au lieutenant Cajofol Roger.

— Voici ma carte, mon lieutenant. Je vous prie de bien considérer qui je suis. Au besoin, téléphonez au ministre de l'Intérieur lui-même, je vous donnerai son fil privé. Mais avant tout, chassez ce fonctionnaire félon de ma vue ! Quoi qu'il ait fait, je couvre tout ! Affaire d'Etat, mon lieutenant ! Oui, affaire d'Etat, dans laquelle ce bellâtre, ce baiseur de shampouineuses

s'est permis de mettre son nez ! Qu'il s'enfuie, le traî-
tre ! Qu'il aille se fondre dans la masse, dans la tourbe,
dans la foule, et surtout dans la merde !

Je vais jusqu'à la portière avant droite, l'ouvre et
laisse basculer sur le pavé le cadavre du Noir coiffé à
la con.

— Et ce cadavre, *Herr Direktor*, ce cadavre encore
chaud, que j'ai confectionné avec l'arme que voilà, on
l'inscrit à pertes et profits, lui aussi ?

Achille frappe le sol du talon du même nom.

— Quel cadavre, figure de con ? Il n'y a pas de cadavre ! Tout est beau, tout va bien : j'ai dit que je couvrais
tout ! Et si je n'y suffisais pas, le ministre couvrirait
tout, et si le ministre semblait trop léger, il resterait le
président pour tout couvrir. Allô, vous me recevez cinq
sur cinq, tous ? J'ai dit et je répète : le président ! C'est
quand même pas de la merde, nom de Dieu !

Je me tourne vers le lieutenant Cajofol, très blême
et crispé, ça tu peux me croire. Ses yeux sont comme
deux œillets flétris. Il passe sa langue sur ses lèvres
desséchées et murmure :

— Monsieur le directeur, ne pensez-vous pas tout de
même que, compte tenu de la gravité de la situation (là,
il désigne le cadavre du bronzé), il serait essentiel d'en-
registrer la déposition du commissaire San-Antonio ?

Fureur d'Achille au bord de la rupture d'anévrisme.

— Quel commissaire San-Antonio, mon ami ?
Où voyez-vous un commissaire San-Antonio ? Il n'y
a jamais eu de commissaire San-Antonio. C'est une
fable, un leurre, une légende sordide ! Foutez-moi ce
bougnoule de merde à la morgue sous la rubrique
« accident de la circulation » et allez baiser vos femmes,
messieurs, car il est tard !

Je m'en vais.

A pied.

Les larmes aux joues.

J'ai l'impression d'être un petit garçon. Il me semble avoir vécu un truc de ce genre, jadis… C'était… Non, rien !

CHAT CLOUW 19

— Ça tourne ! lance le « compagnon » préposé à la caméra.

L'appareil n'est pas du dernier cri ; rien de commun avec les nouveaux appareils japonais que tu gagnes dans tous les jeux télévisés. Celui-là appartient au Masque de Velours, il a au moins vingt-cinq ans et il cliquette en moulant des images comme la crécelle des lépreux que tu rencontres dans la rue.

— Allez-y ! fait le metteur-en-scène-président à sa vedette.

Bérurier a un pistolet dans chaque main.

— Je vais finir les deux bastos de mon outil à moi ! annonce-t-il.

L'homme masqué sourit devant cette obstination ridicule. Le Gros marche jusqu'au groupe. Il avance son pétard sombre jusqu'au dos de Jérémie et tire. L'inspecteur Blanc a un soubresaut, un cri pas terminé et bascule ; le tueur vérifie que la deuxième praline est bien en place dans son logement et, cette fois, abat Violette. Elle s'écroule, foudroyée.

Ayant terminé ses propres munitions, Bérurier remet sa rapière dans son holster et braque le beau feu nickelé contre la nuque de Mathias. Mais le coup ne part pas.

— Dites donc, Monseigneur, grommelle l'artiste-équarrisseur, y aurait pas comme un défaut à votre séringue ?

Il examine l'arme.

— Avez-vous bien relevé le cran de blocage ? demande le chef.

— Je veux, ouais ; mais y a quéqu'chose qui a l'air bizarre, venez-voir, tous.

C'est magique, une arme à feu, ça intéresse aussi sûrement les hommes qu'un bébé intéresse les femmes. Les gars se rapprochent, font cercle.

— C'est ici, affirme Bérurier en caressant le flanc de la crosse de son pouce, là, voyez, y a un machin qui dépasse.

Ils se penchent. Et alors ce qui se produit demeurera à tout jamais unique dans les annales policières.

Sept secondes !

Pas une de plus.

En sept secondes Loup de Velours et les cinq hommes de sa garde prétorienne sont morts avec chacun une balle dans un œil. Le Gros aurait pu effacer les six gonziers en six secondes, mais quelque diable rancuneux le poussant, il a voulu mettre deux quetsches dans la physionomie du chef. Et maintenant, il a une frime hallucinante, cézigue, avec les deux flots de sang qui jaillissent des deux trous du masque. C'est surréaliste à déféquer sur les tapis de la marquise !

Sa « mission » accomplie, le Mastar souffle sur le canon du feu, façon western. Il sort son mouchoir cauchemardesque et l'utilise pour « essuyer » l'arme dont il vient d'user.

Il est tout joyce et sifflote *Les Matelassiers*.

Ensuite il dépose le feu au centre du cercle des défunts, puis s'approche des vivants. De son Opinel, il tranche liens et bâillons.

— Vous deviez commencer à vous faire vieux, mes drôlets ! lance-t-il.

Le père Pinuche, au lieu de remercier, fulmine :

— Qu'est-ce qui t'a pris d'abattre Jérémie et Violette !

— Fallait qu'j'inspirasse confiance z'aux z'autres, plaide Sa Majesté. Ce début d'éguesécution a fait qu'ils sont été sans méfiance pour après, comprends-tu-t-il ?

— Comme tu y vas : sacrifier deux amis pour donner bonne impression à ces criminels, c'est un peu cher payé !

Le rire de Mathias le laisse coi. Il regarde tantôt le Rouillé, tantôt l'Obèse avec incertitude.

— Il a tiré avec une arme de mon invention, César, rassure le Rouquemoute. Balles anesthésiantes sans grande force d'impact. Elles inoculent une légère dose de soporifique et s'anéantissent. Dans moins d'une heure, nos deux amis seront sur pied.

La Pinoche retrouve son beau sourire de vieil archange devenu ganache.

— Je me disais aussi... Un homme comme toi, Alexandre-Benoît, ça ne peut pas devenir un tueur nazi, même s'il a une aversion pour les Noirs.

Bérurier bombe le torse.

— Ça y est, traite-moi de racisse, pendant qu't'y est ! Où qu't'as vu que j'aimais pas les Noirs ? A cause

qu' j'chahute Blanc, parfois ? J'voudrais qu'tu le suças-
ses une fois pour toutes, César : moi, les Noirs, j'les
raffole. La seule chose qu'j'leur reproche, c'est d'être
nègres par moments !

Félicie a un sursaut de bonheur en m'apercevant. Sa radio marchait, lui dévidant le discours d'un politicard aux assises du C.Q.F.D. et elle ne m'a pas entendu arriver. Paroles fortes applaudies en bourrasques.

— « Ce qui est, est ! Et tout ce qui a été n'est plus. »

On sent que les assistants mouillent plein leurs slips.

Comme je m'avance à deux bras, Féloche recule.

— Je vais te mettre plein de farine, mon grand !

Elle est en train d'étirer de la pâte au rouleau sur sa table de cuisine.

— T'inquiète pas pour la farine, m'man.

Je presse ma chère tête contre moi. Toujours cette mystérieuse odeur de coutil neuf et de violette fanée et puis de cheveux bien lavés aussi.

Quand on se dégage de nos retrouvailles, elle remarque avec inquiétude :

— Tu as l'air d'être au bout du rouleau, Antoine ? fait-elle en reprenant le sien.

— Au bout du rouleau, mais pas au bout de mes peines, dis-je. Tu prépares une tarte ?

— Non : des friands, mais je peux confectionner également une tarte si tu en as envie ?

— Penses-tu, je raffole des friands et je vais m'en faire péter la sous-ventrière ! L'inspecteur Latouche n'est pas là ?

Elle se trouble.

— Non, il m'a demandé la permission d'emmener Maria au cinéma. Ça a l'air de bien marcher, eux deux, et il parle de l'épouser car, nous a-t-il dit, la femme qui partage sa vie est seulement sa concubine.

Je me sens knouté par la colère et la jalousie. Cette grande pute de Maria que j'enamoure d'un regard, voilà qu'elle me fait du contre-carre avec le dernier de mes subordonnés !

Je m'emporte (pas loin mais fort) :

— En voilà un qui va comprendre sa douleur ! Il est ici pour vous protéger, pas pour s'envoyer la bonne ! Désertion de poste, c'est le limogeage pur et simple.

— Ne fais pas le croquemitaine, mon Grand. C'est moi qui leur ai dit de sortir !

— Bravo ! On paie une bonniche pour qu'elle assure la félicité des sens d'un vieux branleur de perdreau qui n'est encore à la Grande Taule que grâce à un oubli de l'Administration !

Comme elle est éplorée, la vieille chérie, je me sourdine les rancœurs. C'est bien fait pour ma pomme ! Je caracole avec trop d'assurance dans les basses-cours, voilà qui me rabattra le caquet. Dieu nous envoie des mortifications pour nous aguerrir, je le sais. Note qu'en ce moment, Il m'octroie la forte dose !

— Fais-en beaucoup, des friands, m'man, j'ai une faim d'ogre. En attendant, je vais prendre une douche et changer de fringues : je me sens pollué comme toute la ville d'Athènes.

Elle stoppe ma volte en posant sa main sur mon épaule.

— Qu'est-ce qui ne va pas, Antoine ?

— Tout, rétorqué-je. (Rire cynique.) Mais à part ça, tout va bien !

— Tu ne veux pas me dire ?

— Te dire m'obligerait à revivre. Disons que j'ai subi un échec professionnel et que… Enfin, tu me connais : ça coince ! Mais le temps guérit tout.

Putain ! Je vais lui chialer dans le giron ! Lui faire le coup de « maman bobo » !

Alors, un gros mimi au front et je m'arrache.

De retrouver ma chambrette de célibataire, ça me calme un peu. Tout est si tranquille, si rassurant. Ma collection de *Tintins* sur un rayon, un dessin original de Wolinski, agrémenté d'une dédicace salée. Faut dire que ça représente moi à poil sur une plage, avec un tricotin d'enfer et une pépée en folie qui joue à la girouette sur mon chipolata.

Je me dessape en matant les détails du chef-d'œuvre. Il a un de ces coups de crayon, le gars Georges !

Une fois en costar d'Adam, je passe dans ma salle de bains. Et me voilà brusquement attendri en découvrant une rose d'automne, plus qu'une autre exquise, plantée dans mon verre à dents. Ça, c'est Maria. Cette pétasse, malgré les manigances de Latouche, continue de me vouer son culte. Elle baise en relais, en play-back aussi, peut-être, mais me conserve son cœur ibérique. Olé !

Douche. Très chaude, puis que j'attiédis. Mon eau de Cologne à foison, sur ma poitrine, mon bas-ventre (attention de pas en foutre sur la tronche de Mister Pollux qui s'irrite d'un rien).

Je me saboule, par réaction, en San-Antonio-commissaire-de-charme. Djine noir, T-shirt jaune (cocu), veste de daim noir déstructurée. Je fais franchement Casanova pour midinette en quête d'un bon coup. Mocassins d'autruche pour parachever. Tu juges le bon goût de l'artiste ?

Mon moral péclote encore, malgré l'attention que je viens d'accorder à ma personne. Mon ami Dupeyroux me dit : « Quand je suis trop triste, je vais m'acheter quelque chose. » C'est un sage conseil. Demain, si je suis encore dans la gadoue mentale, j'irai m'acheter « quelque chose ». Mais quoi ? J'ai envie de rien. Blasé, comprends-tu ? J'ai ma maman, un peu de blé et je suis beau.

N'empêche que je viens de me comporter en fouteur de merde. J'ai rien déniché à propos des tueurs de nègres, je suis sans nouvelles de mes chers disparus, Rosette est à l'hosto de Chalon-sur-Saône, le Vieux me conspue, je dois lâcher une affaire qui me passionnait, je…

Maman sort du lavabo des invités. Elle s'est lavé les bras, a brossé ses cheveux et ses vêtements enfarinés. Et puis, tiens, elle a ôté son sempiternel tablier. Quelque chose dans sa physionomie révèle le contentement : une lueur dans un pétillement. Elle a le sourire qui s'impose tout seul, alors qu'elle cherche à le réprimer.

— T'as l'air en liesse, *mother*, je lui dis, comme si tu venais de décrocher le gros lot à la loterie ; encore que toi, le pognon, c'est pas ta tasse de camomille.

— C'est que j'ai deux choses importantes pour toi,

mon Grand : une nouvelle inouïe et… et disons une sorte de cadeau !

— Depuis que je suis monté me changer ?

— Le bonheur, c'est parfois comme le malheur : ça vous tombe dessus sans crier gare ! assure la chère âme.

Oh ! l'amour.

— Je commence par la nouvelle, annonce Félicie.

— Attends !

Je la prends dans mes bras et je la serre passionnément contre moi. M'man… Ma vieille… Ma Féloche d'amour…

— Il y a dix minutes, ils ont annoncé aux informations que M. Achille, votre directeur, a été limogé avec effet immédiat !

Oh ! le vertige qui me déguise en hélice d'hélico ! Carrousel de pensées enveloppées de la ouate de la stupeur.

— Le Vioque… limogé ? « Ils » ont dit pourquoi ?

— Non, le journaliste a déclaré que cette décision ne s'assortissait d'aucun commentaire.

Je continue de dodeliner du chef (c'est le moment !).

— C'est effectivement une nouvelle inouïe, m'man.

— Attends, elle est incomplète. Ils ont donné le nom de son successeur.

— Voilà qui est intéressant, pourvu qu'ils ne nous aient pas infligé un vieux requin ne connaissant rien à la police !

— Rassure-toi, ils ont choisi quelqu'un de jeune et de très compétent :

— Qui ?

— Toi !

Tu vas pas me croire. Ma réaction, c'est la colère. Pire : la rage !

— Moi ! Directeur de la Rousse ! Mais de quel droit ! Je n'ai rien demandé ! Je ne suis pas un bureaucrate, mais un « homme de terrain » comme disent les médias. Je refuse !

Ma sortie la rend chagrine, m'man. Elle qui rayonnait en apprenant ma fabuleuse promotion !

Elle murmure :

— Tu sais ce qu'on dit chez nous, Antoine ? Quand on a une décision importante à prendre, il faut dormir dessus avant de livrer sa réponse. Attends demain pour trancher. Dès cette annonce, le téléphone s'est mis à carillonner ; je l'ai débranché afin que tu aies la paix.

— Tu as bien fait. Et le fameux cadeau promis ?

Elle retrouve son sourire, me prend par la main et me guide en direction du salon. Un fragile instant, je me crois revenu à l'époque de la maternelle. J'avais horreur de ça, l'école. Je puisais du courage dans le contact de cette main et, quand elle lâchait la mienne, je pénétrais dans la classe comme on se jette en parachute la première fois.

C'est elle qui tourne le loquet, mais elle me laisse pousser la lourde. Je suis le môme qui va mater ses pompes, le matin de Noël, voir ce que le barbu lui a largué de sa hotte.

Et il est là, mon cadeau. Plus époustouflant que tout ce que j'essayais d'imaginer. Il est cinq. Il se met à hurler d'une même voix :

— Vive monsieur le directeur !

Béru, Mathias, Pinaud, Blanc, Violette.

Les homards se sont remis à bouger !

Le Noirpiot est quasiment blanc à force de pansements sur la frime. Et ce qui n'est pas blanc est rose ou violet. Cette dérouillée ! Un gus qui aurait essayé de secouer la tire de Cassius Clay au moment où il se pointait ne serait pas dans un pire état. Leur cri « Vive le directeur ! » m'a meurtri, mais leur vue me transporte.

Scène des retrouvailles. Etreintes, bisous, larmes…

Et puis, et puis, bien sûr : explications. Chacun y va de son historiette. Honneur aux gonzesses : c'est Violetta qui commence. Elle me narre l'épisode de l'*Hôtel du Roi Jules*. Ils avaient entrepris une monstre baisance, Jéjé et elle. Tu penses, cette belle chopine sénégalaise, rose à peau noire, le régal qu'elle représentait !

Il est au supplice, Mister Blanc. Il fait des « Allons, Viovio, je t'en prie ! » Mais la Viovio, malgache bonno ! Elle mouille à raconter tout bien, la manière suave qu'il la montait en levrette, et en danseuse sur le plumard grinçant. Ses deux grosses mains bien plaquées sur son aimable cul pour cadrer imper. Et l'enfilade romantique à la *Valses de Vienne* ! Dix coups dans la moniche, dix autres dans l'œil de bronze : ils sont voisins de palier. Elle griffait les draps, mangeait le polochon. De l'assassinat par *overdose* de paf. L'extase poussée à un tel registre côtoie l'agonie.

Il était en train de la limer pour la cinquième fois consécutive lorsqu'on a frappé à la porte. C'était le commissaire Mizinsky qui venait les chercher de ma part. Ils sont partis par la porte de derrière et ont pris place à l'arrière d'une fourgonnette dans laquelle se trouvait un gonzier inconnu d'eux. A peine qu'installés, le type a sorti un vaporisateur de sa poche et leur a mis quelques coups d'un *spray* soporifique dans les naseaux.

Quand ils se sont réveillés, ils étaient ligotés au

fond d'une cave et des gens, dont l'un avait un tatouage représentant une araignée sur le dos de la main, se sont mis à molester Jérémie. Par la suite, on les a endormis de nouveau et emportés dans une espèce de grotte où Bérurier les a revolvérisés. Ils sont revenus à eux plus tard, dans une chambre d'hôpital.

Je donne ensuite la parole à Mathias.

— Moi, fait le Savantissime, j'ai très vite découvert que les mégots que tu as trouvés dans la chambre 42 du *Roi Jules* correspondaient à la marque des cigarettes que fumait Mizinsky. Des « Antartic gros cylindre », ce qui n'est pas fréquent. J'ai eu l'idée de confronter ses empreintes avec celles figurant sur les boîtes de Coca vides. C'étaient les mêmes. J'ai fait opérer des recherches concernant l'Estafette et il a été aisé de découvrir que le véhicule appartient à son beau-frère, un certain Courtial. Mizinsky est venu me trouver pour me tirer les vers du nez. Il cherchait à savoir si j'avais pu obtenir des indices dans la chambre du couple. J'ai un grave défaut pour un fonctionnaire de police : je mens mal. J'ai dû cacher trop gauchement mes notes et ce salaud, fine mouche, a eu vent du danger. Pour qu'il ne risque pas de venir fouiller mon bureau pendant la nuit, j'ai emporté mon rapport chez moi, le soir. Dans la nuit, tu m'as téléphoné en me demandant de te rejoindre…

— Je ne t'ai jamais appelé ! certifié-je.

— Oui, ma chère femme me l'a dit. En tout cas on a imité ta voix à la perfection puisque je m'y suis laissé prendre. J'ai obéi à tes ordres, pris mon dossier et suis descendu de chez moi. Une bagnole m'attendait. Comme Jérémie et Violette, j'ai été « gazé » d'entrée de jeu. En fin de compte, nous nous sommes retrouvés dans la champignonnière.

Comme Béru brûle de s'exprimer à son tour, je lui passe la parole.

Il commence en ces termes :

— J'voudrerais t'faire remarquer, afin qu'ça t'échappasse pas, que c'est toi qu'es nommé dirlo, mais qu'c'est tout de même ce gros sac à merde d'Béru qu'a gagné l'canard ! Sans moive...

Je m'agenouille devant lui et dépose un baiser d'humilité sur ses groles pestilentielles.

— Je sais que tu es le dalaï-lama, lui dis-je ; nous te vénérerons jusqu'à ce que ton foie devienne gros comme un pois chiche à force de cirrhose. Un jour nous te laverons la bite, pour la première fois de ton auguste existence, et nous nous laisserons tous sodomiser par toi, en signe d'allégeance. Maintenant, poursuis ta narration qui est la plus douce des musiques à nos oreilles !

Un peu déconcerté, le Gravos se tourne vers les autres.

— C'qu'il est con, ce mec ! les prend-il à témoins.

— Je t'en prie, morigène Mathias, tu parles de notre directeur !

— Diréqueteur mon paf ! gronde le Superbe. Quand j'voye un con, j'dis qu'il est con. Diréqueteur ou pas. Puis il poursuit enfin :

— Tu t'rappelles, Tonio, la sortie dont tu m'as faite d'vant tout l'monde, comme quoi j'étais racisse ! Racisse, moive ! Just' parce que' j' traite les mâchurés d' bougnoules ! V'là qu'tu me vires comme un étron d'une moquette ! J'ai cru qu'j' mourrirais d'honte. Pour m' r'monter, j'sus été au troquet du coin soigner mon chagrin au rhum-vin blanc. Moi, dans les cas désespérés, y a que le rhum-vin blanc qui m'fasse. Bon, j'en

liche deux trois : des grands. Et puis Mizinsky s'ponte
et compassionne sur mon sort. On écluse. J'me monte
cont'toi. Mizinsky en rajoutait, versait d' l'huile su' le
feu. D'une chose l'aut', il m'avoue qu'il est très furax
contre les métèques qui viennent sabrer nos gerces.

« On boit toujours. N'à la fin, ce fumier m'avoue
qu'il est un des bras droits du chef de F.P. ; ils ont
commencé la grande croisée et n'avant les prochaines
élections, y aura un chang'ment d'régime en France.
L'estrème droite va faire un coup d'État et emparer le
pouvoir. Veux-je-t-il faire partie d' c' t'noble cause ?
Putain, si je bichais ! J'y rétroque que « de tout mon
cœur ». Il me d'mande si j'accepterait-il de zinguer du
crouille et du noirpiot ?

« Je lui affirme que c'est mon vœu l'plus cher, un
régal qu'j'eusse jamais osé t'espérer. Alors, bon, aussi
sec, il m'embrigade et me conduit à leur chef, un zig
masqué aux façons délicates. On m'met à l'épreuve du
feu. Première mission : scrafer un Noir qui s'permet
des prévôtés av'c une frangine au fion brûlant.

« Moi, d'puis l'début du commenc'ment, j'songe à
ce pétard qu'a inventé l'gars Mathias et qui tire des
bastos d'sa décomposition : ça pénètre pas, ça pique
et ça fout l'sujet en état d'tétralogie[1]. C'qui m'restait
z'à faire, c'tait d'me mett' en ch'ville avec une équipe
de collègues de la voie publique. Avant d'commettre
une digression contre des *all blacks*, j'les prév'nais
et y s't'naient prêts à interviendre pour embarquer l'
soi-disant cadav'. N'en réalité, y l' conduisaient dans
un cent' de r'groupage où c'qu'en ce moment, dix-huit

1. Béru veut probablement parler de « léthargie ».

pégreleux jouent à la belote n'en attendant qu'on les délivrasse. »

Il rit gras.

— Le grand chef masqué a eu une funeste inspiration, mec. Y l'a voulu qu' j'abattasse nos potes prisonniers. Manque de bol pour lui, y m'restait plus assez de valdas bidons. Ce con qu'insiste pour qu'j'opère au sirop d'acier, avec un feu normal, calibre éléphant ! Charogne ! Le plus esplendid carton de ma vie. Jamais j'ai praliné aussi rapidos une demi-douzaine de gus ! T'aurais vu descendre messieurs les hommes, Tonio ! Entr' la première bastos et la dernière, pas un qu'a eu l'temps d'empoigner son composteur. Y sont morts plus vite que leur ombre ! J'croive qu'la caméra était branchée et qu'ça a enregistré mon carton géant. Un document, mec ! Un document dont y va falloir projeter dans les écoles de commissaires. On baptisererait ça : « la s'ringuée Bérurier ».

Il se tait, ruisselant de gloire et de sueur.

— A toi de terminer, Pinuche ! fais-je au Bêlant.

César s'écaille une chiassure d'œil et commence :

— Reprenons, si tu y consens, au moment où nous nous sommes séparés, après avoir pris un excellent repas chez ces gens charmants…

Joli préambule, très préambulatoire.

— Donc, poursuit le Fossilisé, je me suis rendu en l'*Hostellerie du Chevalier Noir*, délicieux établissement où…

— Enchaîne, j'ai lu le dépliant.

Il soupire :

— Tu es irascible, Antoine, ce qui va faire de toi, je le crains, un directeur tyrannique.

— Je ne suis pas encore directeur. Fonce !

A regret, il pousse la manette des gaz.

— J'arrive donc en cet établissement plein de charme. La bonne chère m'avait rendu somnolent, aussi me couché-je au plus vite. Mais au moment de me glisser dans les draps de mon lit à baldaquin, j'avise mes chaussures crottées de boue. Alors je décide de les mettre dans le couloir afin qu'on me les cire.

— Cirasse ! reprend Bérurier, très didactique.

— Afin qu'on me les cire, répète calmement Pinaud. Or, au moment où je me risque, en chemise, dans le couloir, qui avisé-je regagnant sa propre chambre ? Je te le donne en mille !

— Le Vieux, fais-je.

Il est déconfit.

— Ah ! bon, dit-il.

— Mais que cela ne t'empêche pas de continuer.

— Aussitôt, je cherche à te joindre. Je téléphone donc chez ce délicieux proviseur et lui demande à te parler. Il me prie de ne pas quitter et je reste en ligne une éternité sans que l'on s'occupe de moi. De guerre lasse, je raccroche, rappelle un peu plus tard, mais la ligne sonne « occupé ». Alors j'appelle la Grande Maison où je tombe sur Mizinsky. Là, j'ai beau rassembler mes souvenirs, je ne parviens plus à me rappeler exactement ce que je lui ai dit. Ce fut cependant capital, puisqu'il se méprit sur le sens de mes paroles.

— Se méprisât ! corrige Béru.

— Puisqu'il se méprit, reprend Pinaudière. Je pense que je lui déclarai que je venais de faire une découverte qui risquait de foutre une sacrée merde dans la Maison et qui le concernait. Je ne voulais pas rendre ma découverte publique, comprends-tu ? A la lumière de ce que nous savons de lui maintenant, je réalise qu'il s'est cru visé. Il a pris peur. Je ne pouvais demeurer sous le même toit qu'Achille ; il risquait de me voir à son tour et la situation se serait détériorée. « J'ai réglé ma note, repris la route et suis arrivé au petit matin à Paris. Mizinsky m'attendait dans son bureau. Il m'a aussitôt engagé à le suivre, ce que j'ai fait sans méfiance. Une Estafette bordeaux nous attendait. J'ai alors compris, mais il était trop tard. On m'y a embarqué de force et l'on m'a soporifié d'importance. La suite, tu la connais.

Un long silence, rompu par l'arrivée de m'man qui apporte sans que je le lui ai demandé un magnum de Laurent Périer rosé. C'est Mathias qui débouche cette grande et noble bouteille, lui qui emplit des coupes. Trinquerie générale. On porte des toasts à ma promotion, à l'amitié, à la vie, à l'amour...

Ayant bu, j'expectore avec discrétion, et soupire pour donner un prolongement naturel à mon exhalaison.

— Je n'arrive pas à piger pourquoi on est venu molester maman et la bonne pour les faire avouer que Jérémie et Violette sont de la police. Mizinski ne le savait que trop !

— Justement, note Mathias, tu ne comprends donc pas qu'en agissant de la sorte, il échappait aux soupçons qui pourraient naître à son sujet ? C'est diabolique, au contraire. Qui aurait pu envisager, en cas de problème, *qu'il ait fait torturer deux malheureuses femmes pour qu'elles révèlent quelque chose qu'il savait* ?

Nous saluons sa perspicacité.

C'est Béru qui trouve le mieux les mots pour traduire notre admiration :

— T'es rouquin, mais ça n't'empêche pas d'gamberger !

CHAT PITRE RIEN

L'heure légale !

On l'attend dans des véhicules banalisés. Je fais équipe avec Violette, pour changer. Béru et Pinuche ont proposé à Jérémie de se joindre à eux. Le Noirpiot a accepté sans grand enthousiasme parce que c'est leur *fouzi-foula* à Ramadé et à lui, et qu'il aimerait bien se retirer dans ses terres pour fêter ça avec sa bergère. Mais bon, on espère qu'il n'y en aura pas pour longtemps.

Violette me caresse le membre, distraitement.

— Qu'est-ce que ça vous fait d'être nommé directeur, commissaire ?

— Je ne crois pas que j'accepterai cette promotion, ma choute. Je ne suis pas un type de bureau et de réceptions, mais un mousquetaire de la Rousse ; un bretteur. Dans le bureau d'Achille, je m'étiolerais au milieu des paperasses.

— Justement, fait-elle avec cette pertinence féminine qui nous réduira toujours à l'état de sombres cons, nous les matous ; justement, l'occasion vous est offerte de rénover, commissaire, de fondre les structures actuelles afin de créer une police moderne, une police d'action, avec un chef qui en serait le véritable fer de lance ! Achille, c'était l'avant-guerre, toutes les avant-guerres. Alors devenez le promoteur d'une police de l'an 2000 !

Pathétique, vibrante ! Jeanne Hachette (pas celle des messageries, celle des Bourguignons) ! Elle me galvanise, cette souris « souris qui n'a qu'un trou est bientôt prise », affirmait grand-mère. Violette ne risque rien !

De la buée s'est formée sur nos vitres. Je vais pour brancher le dégivreur, mais elle retient mon geste.

— Laissez : ça nous isole.

D'un mouvement expert, elle dégoupille le détonateur de ma braguette et m'émerge le panais. C'est dur de pomper un mec derrière son volant, j'en parlais l'autre jour à la comtesse de Paris qui était tout à fait d'accord avec moi. Mais pour une radasse de sa dextérité, Violette, c'est un jeu d'enfant ! Au contraire, les tribulations qui s'imposent ajoutent à la volupté. Elle me dessertit la moelle, subtilement. S'en fait gorge chaude.

Ensuite, pendant que je range mon matériel de camping, la môme se fout du rouge à lèvres et branche elle-même le dégivrage.

— Je ne suis qu'une femme extra-sensuelle, me dit-elle, mais j'ai la passion de mon métier. Je ne veux pas jouer les « Marie Pervenche », croyez-moi, cependant je sais que je peux vous être utile et que je demeurerai à votre côté, monsieur le directeur !

On se flanque un regard qui compte. Et, je vais t'en bonnir une savoureuse, c'est ce regard qui emporte ma décision. Félicie pourra être heureuse et fière de son grand : il sera directeur ! Fermez le ban !

Je caresse la cuisse douce et tiède de Violette :

— Je n'ai pas entendu la nouvelle de la destitution du Dabe, on en a précisé les raisons ?

— On a seulement prétendu qu'il avait pris des décisions jugées contraires aux intérêts du gouvernement français.

Moi, pour te dire vrai, je suis certain que c'est le lieutenant de gendarmerie Cajofol qui l'a foutu dans la scoumoune, le Chilou. Il n'avait pas l'air tellement joyce quand Pépère rondejambait en lançant ses « Je couvre tout ». Tu vois, je l'avais déjà remarqué au cours de ma carrière : y a rien de plus honnête qu'un gendarme, sinon deux gendarmes. Ces gens-là, c'est l'honneur de la France ; il a dû vouloir creuser la situation, le gentil lieutenant Cajofol ; alors il a alerté la justice et Messire Dirluche, lancé dans je ne sais qu'elle croisade à la con, l'a eu *in the* prose ! Triste fin de carrière pour ce vieux dindon dindonnant. L'opprobre ! Le presque déshonneur. Il va se faire hara-kiri, Chilou, j'entrevois. Avaler un cocktail arsenic-ciguë-acide prussique. Faut-il que sa faute soit grave pour que la sanction le soit à ce point !

On est là, à ruminer dans la grisaille du petit jour. Ce que nous attendons ? Je te l'ai dit : l'heure légale. Pour faire quoi ? Interpeller mon confrère Jean-Paul Mizinsky. Il n'a pas reparu à la Grande Taule et il n'est pas à son domicile du boulevard Junot (duc d'Abrantès) qu'il partage avec une vieille gonzesse qui ressemble à une guenon en pleine ménopause. Doit avoir des perversités rarissimes, le gus. En explorant chez lui, on a trouvé une pièce transformée en chapelle ardente du parti nazi. Un grand portrait d'Adolf, en couleur, avec ses principaux brigands auxiliaires : Goering, Goebbels, Himmler et la lyre. Des décorations du

IIIe Reich dans des cadres. Des drapeaux à croix gammée, des brassards, des aigles à deux tronches (voire même bicéphales !). Des grenades à manche, des armes, des bottes, des vestes d'officiers avec parements rouges, toute une panoplie, une quincaille odieuse, morbide, funeste ! On en était ravagés de dégoût, mes potes et moi.

La vieille Carabosse nous dardait de ses petits yeux vipérins, salingues et tout. Elle bichait de notre répulsion. Ça l'égayait, je crois bien.

« — Où est ce brave Mizinsky ? » lui ai-je demandé.

« — Au travail », je suppose.

« — Lequel ? Le travail républicain ou le travail nazi ? »

Elle a haussé les épaules.

« — C'est son affaire ; il vous donnera bientôt de ses nouvelles. »

On s'est cassés.

Et voilà que dans la tire avec Violette, je me répète cette drôle de phrase : « Il vous donnera bientôt de ses nouvelles ! »

C'était pas des « paroles en l'air ». Elles étaient détentrices d'un sens caché, je le devine seulement maintenant. Une menace, quoi, pour tout te dire.

Mais quelle ? Et qui concerne qui ? Nous autres de la Poule, ou bien plus haut ?

Dans la noye, j'ai eu l'idée de venir retapisser les abords de l'entreprise électrique Courtial. Tu sais ? Son beauf, propriétaire de l'Estafette. Le nez creux ! La tire personnelle est dans la cour de l'électricien, près de la fourgonnette. Alors on a établi la planque des grands jours pour le serrer dans les règles, cet infâme, ce plus que ripoux ! On a le mandat d'amener en bonnet difforme, comme dit B. ; on attend l'heure légale. Pour alpaguer un commissaire aussi retors, faut des pincettes et des gants.

La grosse aiguille finit son tour de piste. A nous de jouer ! J'adresse un appel de phares à mes trois mousquetaires qui moisissent « confortablement » dans la Rolls de Pinaud. Planquer en Rolls-Rosse, c'est nouveau, non ? Et c'est plaisant.

Nous voici regroupés autour du petit magasin qui fait l'angle de l'avenue André-Sarvat et de la rue Gérard-Barrayer. Le magasin s'ouvre sur l'avenue, tandis que le côté atelier, cour, hangar, donne sur la rue Barrayer, voie paisible bordée de petits platanes.

Nous décidons que le Gravos et Jérémie s'installeront devant le portail de l'atelier cependant que nous nous présenterons à la porte contiguë au magasin, qui est celle du logement. Du moins m'y présenterai-je seul et laisserai-je le Fossile et Viovio devant la boutique. O.K. ? T'as tout bien pigé ce topo ? Je peux continuer ?

Alors je sonne : un coup long, deux coups brefs, comme s'il s'agissait d'un familier.

Mais rien. Rebelote ! Drin in ingggg dring dring ! Zob ! Et cependant (d'oreilles) il y a de la lumière derrière un œil-de-bœuf placé en limite de façade : il éclaire un goguenuche ou une salle de bains, *probably*.

Moi, la patience, hein ? Je la laisse au président ! Vite ! mon sésame. J'entends grommeler la serrure, mais elle m'obéit. Retentit alors un coup de sifflet voyou. Il est lancé par Violette (faut dire qu'elle s'est fait une bouche !). Ma collaboratrice m'indique de la rejoindre. Je. Elle tient une loupiote de fouille dont elle braque le faisceau sur l'intérieur du magasin.

— Regardez dans l'arrière-boutique dont la porte est entrouverte ! m'enjoint-elle.

J'obéis. Et je vois un avant-bras terminé par une main. Il dépasse de la cloison et s'inscrit dans l'ouverture de la lourde. Un homme gît sur le sol et une faible partie de sa personne reste visible du dehors.

Je demeure un long moment en contemplation devant cette paluche aux doigts légèrement recroquevillés. L'avant-bras est gainé d'une manche de tricot.

— Que regardez-vous avec tant d'insistance, commissaire ? questionne Violette, impériale[1].

— Attends !

La fixité m'emplit les yeux de larmes. Ça me brûle la rétine. Et pourtant je continue de scruter les doigts du gisant. Il se fait tout un curieux boulot en moi.

Je suis l'abeille lourde du pollen collecté qui commence à fabriquer son miel. Des flashes partent dans ma cervelle comme des traînées d'étincelles sous les roues d'un tramway. Les paroles de Mathias, hier : *Justement, en molestant ta mère, il échappait aux soupçons qui pourraient naître à son sujet...* Mizinsky, c'est un cerveau ! Comment a-t-il dit à sa vieille maîtresse ? Ah ! oui : *qu'il nous donnera bientôt de ses nouvelles.*

Voyons ! Mizinsky a sucré le rapport de Mathias, par conséquent *il sait ce que nous savons de lui* tant à propos de la chambre 42 du *Roi Jules*, qu'à propos de l'Estafette appartenant à son beau-frère. Donc, il connaît trop le métier POUR NE PAS SAVOIR QUE, SI NOUS NE LE TROUVONS PAS CHEZ LUI, NOUS VIENDRONS LE CHERCHER ICI ! Sa bagnole, près de l'Estafette, c'est

1. Je te l'ai déjà sorti, mais on ne s'en lasse pas !

San-A.

pour nous conforter dans cette hypothèse. Donc il attend notre intervention. Tu piges ça avec la mousse de foie gras qui te sert de méninges ? Même s'il n'est plus ici (et je le pense), il nous y attend.

Nous y attend d'UNE AUTRE FAÇON.

Je continue de fixer les doigts de l'homme à terre et, ô merveille, se produit enfin ce que j'attends : l'un d'eux remue. Tu ne peux demeurer *absolument* inerte très longtemps. Donc, l'homme de l'arrière-boutique n'est pas mort !

Je reprends mon sésame et ouvre la porte du magasin.

J'ai fait signe à Violette de ne pas broncher. Je m'avance avec précaution jusqu'à l'arrière-boutique. Je trouve un gars ligoté. Petit bonhomme fouineux, à nez pointu de belette s'apprêtant à sortir de son terrier. Il est bâillonné. Sparadrap. J'arrache. Son premier mot ? « Ouïe ! »

— Vous êtes Courtial, le beau-frère de Mizinsky ?

— Oui.

— Moi, c'est son confrère San-Antonio !

Je le délivre de ses liens, tout en devisant :

— Que vous est-il arrivé, cher ami ?

Il le dit.

Dans la soirée, il cassait la graine avec mon collègue. Et de désigner une table avec un sauciflard, un calandos, du *bread*, un boutanche de côtes-du-Rhône. On a frappé à la porte du magasin, il est allé ouvrir. Trois hommes se sont alors précipités sur lui, l'ont estourbi à demi, puis ficelé. En même temps, ils s'emparaient de Jean-Paul et l'évacuaient.

Ils ont relourdé la boutique et, dès lors, il attend. Il a pissé dans ses hardes, le pauvret, tant tellement il est incontinent. Mais il nourrit les craintes les plus vives quant à son beauf, ayant entendu ce groupe grimper l'escadrin de son apparte, piétiner là-haut et pour finir deux détonations sèches ressemblant à des coups de feu.

Il se masse, s'ébroue, geint. C'est un foutriquet sans importance collective. Un petit besogneux. Positif, négatif ! Prise de terre ! 220 volts !

— Allez voir, il flagadouille. Montez, je vous en prie, je suis sûr qu'il est arrivé un malheur à Jean-Paul ! Ces types avaient des vêtements de cuir et des cheveux verts en arrête dorsale de requin, des médailles avec des croix gammées dessus.

Je lui mets la main sur l'épaule.

— On va aller voir ça ensemble, Courtial.

— Oh ! non ! Oh ! non ! je ne m'en sens pas le courage après ce que je viens moi-même de subir…

— Votre épouse n'est pas là ? m'étonné-je.

— Elle est morte il y a deux ans.

Je lui biche le bras d'une main forte et l'entraîne dehors. Il porte une blouse grise comme en avaient les épiciers de quartier, autrefois. Comme ils en ont encore, d'ailleurs, dans les campagnes.

Arrivés devant la porte du logement, je lui dis :

— Montons !

Mais il flagadague vilain, l'homme.

— Ecoutez, c'est impossible ! Je ne m'en sens pas le courage ! Je suis traumatisé, il faut me comprendre. Je suis sûr que Jean-Paul a été tué !

Moi, tu croirais pas ma force quand je renaude. Je le biche d'une main par le collet, de l'autre par son fond de culotte (qu'il a détrempé), et je le soulève de terre. M'engage dans un escalier de bois assez étroit.

Il bieurle comme un gonzier qui viendrait de s'asseoir dans un bac à friture :

— Non on on ! Au secours ! Laissez-moi ! Je ne veux pas !!!

A mi-étage, je m'arrête.

— Raconte, Courtial. Dis tout et dis-le vite, sinon on poursuit la grimpette !

— Je… je n'ai rien à dire. Seulement que je suis en pleine crise de nerfs. On m'a frappé, on…

— Justement : viens te coucher, t'as besoin de repos !

Je reprends l'ascension. Il se démène et arc-boute comme un furieux, l'énergumène. On arrive malgré tout sur le palier.

— Ouvre, Courtial !

Là, il se laisse panteler, chique à la perte de conscience.

— O.K., tu rentreras là-dedans évanoui, mais tu y rentreras, mon pote !

Il dit, et cela ressemble à un long râle :

— Redescendons. Je vais tout vous dire !

Nous redescendons.

Il tient parole et me dit tout.

CHAT PITRE
CLOWN
GUGUS
DERNIER

Ce cirque !

Il a fallu encercler le quartier, tu juges comme c'est commode le matin, au moment où les chiares partent en classe, où les livreurs livrent, où les ménagères ménagent, où les bistrots blanc-cassissent et où les artisans remettent pour la centième fois leur ouvrage sur le métier ?

Ensuite, les pompiers sont arrivés, pour épauler l'équipe des artificiers. Un boulot pareil, on n'avait encore jamais vu ! Puis ça été l'hélico ! Décidément, y en a chouchouille dans mon histoire. D'après les révélations de Courtial, il n'existait pas de moyen moins risqué pour pénétrer dans le logis de l'électricien.

Les deux beaux-frères (je devrais écrire les deux faux frères) avaient exécuté un piège de grand style pour piéger l'apparte. Une puissance de charge formide concentrée sur la porte, depuis l'intérieur. Après l'avoir posée, ils s'étaient cassés par la fenêtre à l'aide d'une corde à nœuds et avaient poussé le raffinement jusqu'à piéger également la croisée en attachant un fil électrique à la poignée. Les pompiers se sont donc pointés par le toit. Ils ont ôté deux mètres carrés de tuiles, scié une trappe dans le plancher (qui constitue le plafond de la pièce du dessous, tu l'auras deviné). Heureusement que c'est une maisonnette à un étage, sinon tu imagines les travaux !

Ces préliminaires exécutés, les artificiers se sont laissés couler dans la chambre. Le *Vieux* était attaché sur le fauteuil Voltaire, ligoté si serré qu'il avait perdu connaissance. Par prudence, ils ne l'ont pas délivré avant d'avoir désamorcé ce bordel à cul. Tu imagines ce qui se serait passé si je n'avais pas eu ce coup de flair inouï, marque des grands policiers d'exception ? (Pas d'inquiétude pour mes chevilles : je porte des baskets ce matin).

Je débondais cette porte et l'immeuble volait en poussière. On ne retrouvait même plus mes testicules pour, au moins, pouvoir les exposer dans un bocal de formol à la fac de médecine !

Mais bon, je suis ce que je suis, *et pas mécontent de l'être*, comme le dit mon exquise consœur la baronne de Rothschild dont, au passage, j'effleure les jolis doigts de mes lèvres si fréquemment impures.

Grâce à la perspicacité du commissaire Santonio, plus exactement grâce à son instinct, l'une des plus grandes catastrophes de l'histoire humaine (à savoir mon trépas) aura été évitée.

Des illuminés, tu parles si j'en ai rencontré, Xavier ! Des tordus en tout genre. Des passifs, des belliqueux (des belles queues), des mystiques, des ultra-violents, des qui voulaient sauter toutes les femmes et d'autres qui voulaient seulement faire sauter la planète. Des gars qui se prenaient pour Jésus, pour Napo, voire Apollon !

Mais des mecs aussi dangereux, aussi déterminés, aussi illuminés au néon que Mizinsky, alors là, jamais !

Il avait décidé de chambouler notre société, le gueux. Abattre les institutions. Anéantir le pouvoir en place. Sa vie de pourri, il l'a consacrée à cette entreprise.

En apprenant la mort de son chef de file, il est devenu dingue et a voulu réaliser un coup ex-tra-or-di-naire.

Il s'est présenté chez le Vieux, qui venait de regagner son domicile, après l'équipée que tu sais, l'a kidnappé, drogué, et l'a obligé d'écrire une confession dans laquelle il reconnaissait avoir fomenté, organisé et dirigé cette tuerie des émigrés. Lettre circonstanciée dans laquelle il annonçait son intention de mourir en se dynamitant !

Mizinsky a fait tenir cette bafouille « explosive » au ministre de l'Intérieur, lequel a bondi à l'Élysée. Décision urgentissime : la révocation ! Et on nommait messire moi-même, enfant unique et préféré de Félicie, à l'auguste place !

Chié, non ?

T'es content ? C'est passionnant, hein ?

*
* *

Le Dabe, il lui a fallu deux jours de soins intensifs pour l'arracher de cette béchamel. Mais ensuite il restait prostré, balbutiant avec ferveur le prénom de July. Y a que ma pomme qui ait réussi à le faire parler.

J'avais tellement soif de savoir la vérité, côté *Chevalier Noir*, que je suis parvenu à toucher son entendement, à Chilou, au plus profond de la semoule.

Ça a été coton. Il ne lâchait que des miettes parcimonieuses. Mais à force de patience, d'obstination, de douceur, je suis parvenu à constituer une hypothèse qui vaut ce qu'elle vaut, mais que je crois proche de la vérité.

Il y a quelques mois, il a rencontré July Larsen lors d'un voyage aux U.S.A. et il est devenu dingue de cette femme. Amour du soir, espoir ! Elle a été son soleil de minuit. Elle dirigeait un réseau de renseignements d'obédience arabe (je n'ai pu savoir pour quel pays elle travaillait) qui regroupait des durs issus d'autres services, des chômeurs de l'espionnage en somme, des mercenaires de tous bords : Anglais, Russes, Français. Leur siège était *L'Hostellerie du Chevalier Noir*.

La C.I.A. qui trouvait July trop encombrante avait décidé sa mort et elle le savait. Elle a vu en Chilou un élément de salut inespéré.

Alors, de concert, ils ont concocté cette affaire de substitution d'héroïne. July venait à moi, officiellement, pimpante, avide de plaisirs. Je l'emmenais chez le meilleur restaurateur de France puis, une fois rentrés à Paris, dans l'un des plus prestigieux hôtels de la capitale. Amours, délices et... grandes orgues ! En cours de route, une fausse July, en tout point conforme à la précédente et dûment chapitrée, la malheureuse (on lui avait fait croire qu'elle participait à une manœuvre de diversion – ce qui était vrai, en somme), prenait sa place. Encourait ses dangers, subissait son destin.

Pépère, qui chiquait au grand malade bouffé par les

virus, démissionnait et refaisait sa vie (passe encore de semer, mais planter à cet âge !) avec July Larsen. Son rêve de vieux gosse. Son joujou de retour en enfance.

O Chilou, vieux fou, vaincu parce qu'il aura le plus vénéré au cours de son existence : la femme !

ET PUIS CONNECLUSION,
BIEN ENTENDEUR

Moi, je vais te dire, p'tit gars. Ne l'oublie jamais : la
meilleure des coupes, pour boire le champagne, c'est la
chagatte d'une polka ! Seulement, quand un vin d'honneur est organisé pour fêter ta nomination en qualité de
chef de la police, tu es bien obligé d'écluser ton roteux
dans du baccarat.

Tout le monde sur le pont !

Le ministre, le sous-ministre, l'aide-sous-ministre, le
préfet. Et paraît que le président, qui m'a à la chouette
(ce serait lui qui aurait exigé ma nomination), passera
me serrer la main un peu plus tard.

Outre les huiles, y a mes inséparables : Pinaud et
sa dame dans un décolleté rose praline ; Mathias et
sa bourrique pondeuse, crevante de jalousie ; Jérémie
et Ramadé ; Béru, sa Grosse en tailleur de soie parse-
mée de pâquerettes, ainsi qu'Alfred (Béru l'a amené
sans m'en parler) et une petite dame boulotte que je
ne reconnais pas tout de suite, mais c'est la maman de
Martine, la première victime, pour qui le Mammouth a

un énorme coup de cœur (et plus énorme encore coup de queue).

Il y a aussi Rosette, le bras en écharpe, rosissante et exquise, en compagnie de Violette vêtue de violet. Elles se tiennent toutes deux à l'écart. Elles me regardent avec infiniment d'amour et parlent de moi, unies par une même passion qui, tant elle est forte, ne les rend pas jalouses l'une de l'autre.

Bien sûr, y a maman, sur son trente et un, avec Toinet qui grandit, le salaud, à en devenir aussi long que moi ! Et il y a encore Maria, avec l'inspecteur Latouche, lequel vit sa passion comme s'il était dans une châsse.

Je grignote un amuse-gueule quand l'inspecteur Mordefin s'approche de moi et me glisse un papier. Je lis :

« L'ex-commissaire Mizinsky a été interpellé au moment où il tentait de franchir la frontière helvétique. Il avait une grenade sur lui qu'il a fait exploser. Il est mort et l'un des policiers qui procédaient à son arrestation a eu la main droite arrachée. »

Une musiquette pour jour de pluie me taquine l'âme.

« Si ç'avait été moi qui le saute, je me serais gaffé du coup ! songé-je. Au lieu de faire le con dans ce bureau ! »

C'est con de devenir un chef !

Un guide de lecture inédit élaboré
par Raymond Milési

REMONTEZ LE FLEUVE AVEC
LE COMMISSAIRE SAN-ANTONIO

La première aventure du commissaire San-Antonio est parue en 1949. Peu à peu, ce personnage au punch et à la sincérité extraordinaires a pris dans le cœur des lecteurs de tous âges une place si importante qu'on peut parler à son sujet de véritable *phénomène*. Qu'il s'agisse de son exceptionnel succès dans l'édition ou de l'enthousiasme qu'il provoque, on est en droit de le situer — et de loin — au premier rang des « héros littéraires » de notre pays.

1. Bibliographie des aventures de San-Antonio

A) La série

Jusqu'en 2002, la série était disponible dans une collection appelée « *San-Antonio* », abrégée en « **S-A** », **avec une numérotation qui ne tenait pas compte – pour une bonne partie – de l'ordre originel des parutions**.

La collection garde le même nom mais, à partir de 2003, **sa numérotation va respecter l'ordre chronologique**.

Dès lors, la bibliographie ci-après se consulte de la façon suivante :

- En tête apparaît le numéro « chronologique », celui qui figure sur chaque roman réimprimé *à partir de 2003*.
- Après le titre vient, entre parenthèses, la date de première publication.
- Puis est indiquée la collection d'origine (Spécial Police de 1950 à 1972 et **S-A avec l'ancienne numérotation** : reprises et originaux de 1973 à 2002).
- O.C. signale que le titre a été réédité dans les Œuvres Complètes, le numéro du tome étant précisé en chiffres romains.

■■■■■■■■■■■■■

1. **RÉGLEZ-LUI SON COMPTE** (1949)
   (S-A 107) – O.C. XXIV

2. **LAISSEZ TOMBER LA FILLE** (1950)
   Spécial-Police 11 – **(S-A 43)** – O.C. III

3. **LES SOURIS ONT LA PEAU TENDRE** (1951)
   Spécial-Police 19 – **(S-A 44)** – O.C. II

4. **MES HOMMAGES À LA DONZELLE** (1952)
   Spécial-Police 30 – **(S-A 45)** – O.C. X

5. **DU PLOMB DANS LES TRIPES** (1953)
   Spécial-Police 35 – **(S-A 47)** – O.C. XII

6. **DES DRAGÉES SANS BAPTÊME** (1953)
   Spécial-Police 38 – **(S-A 48)** – O.C. IV

7. **DES CLIENTES POUR LA MORGUE** (1953)
   Spécial-Police 40 – **(S-A 49)** – O.C. VI

97. SI MA TANTE EN AVAIT (1978)
(S-A 85) – O.C. XXI

98. FAIS-MOI DES CHOSES (1978)
(S-A 91) – O.C. XXI

99. VIENS AVEC TON CIERGE (1978)
(S-A 95) – O.C. XXI

100. MON CULTE SUR LA COMMODE (1979)
(S-A 98) – O.C. XXI

101. TIRE-M'EN DEUX, C'EST POUR OFFRIR (1979)
(S-A 100) – O.C. XXII

102. À PRENDRE OU À LÉCHER (1980)
(S-A 101) – O.C. XXII

103. BAISE-BALL À LA BAULE (1980)
(S-A 102) – O.C. XXII

104. MEURS PAS, ON A DU MONDE (1980)
(S-A 103) – O.C. XXII

105. TARTE À LA CRÈME STORY (1980)
(S-A 104) – O.C. XXIII

106. ON LIQUIDE ET ON S'EN VA (1981)
(S-A 105) – O.C. XXIII

107. CHAMPAGNE POUR TOUT LE MONDE ! (1981)
(S-A 106) – O.C. XXIII

→   À partir du 108e roman ci-dessous, la numérotation affichée
auparavant sur les ouvrages de la collection *« San-Antonio »*
correspond à l'ordre chronologique. Le numéro actuel et le
précédent sont donc identiques. Mais, pour éviter toute équi-
voque, nous continuons tout de même à les mentionner l'un et
l'autre jusqu'au bout.

108. LA PUTE ENCHANTÉE (1982)
(S-A 108) – O.C. XXIII

167. **DE L'ANTIGEL DANS LE CALBUTE** (1996)
(S-A 167)

168. **LA QUEUE EN TROMPETTE** (1997)
(S-A 168)

169. **GRIMPE-LA EN DANSEUSE** (1997)
(S-A 169)

170. **NE SOLDEZ PAS GRAND-MÈRE, ELLE BROSSE ENCORE** (1997)
(S-A 170)

171. **DU SABLE DANS LA VASELINE** (1998)
(S-A 171)

172. **CECI EST BIEN UNE PIPE** (1999)
(S-A 172)

173. **TREMPE TON PAIN DANS LA SOUPE** (1999)
(S-A 173)

174. **LÂCHE-LE, IL TIENDRA TOUT SEUL** (1999)
(S-A 174)
(ces deux derniers romans sont à lire à la suite car ils constituent une seule histoire répartie en deux tomes)

175. **CÉRÉALES KILLER** (2001) – parution posthume
(original non numéroté : v. ci-dessous)

B) Les Hors-Collection

Neuf romans, de format plus imposant que ceux de la « série », sont parus depuis 1964. Tous les originaux aux éditions FLEUVE NOIR, forts volumes cartonnés jusqu'en 1971, puis brochés. Ces ouvrages sont de véritables feux d'artifice allumés par la verve de leur auteur. L'humour atteint souvent ici son paroxysme. Bérurier y tient une place « énorme », au point d'en être parfois la vedette !

Remarque importante : outre ces neuf volumes, de nombreux autres « Hors-Collection » – originaux ou rééditions de *Frédéric Dard* – signés **San-Antonio** ont été publiés depuis 1979. Ces livres remarquables, souvent bouleversants (*Faut-il tuer les petits garçons qui ont les mains sur les hanches ?, La vieille qui marchait dans la mer, Le dragon de Cracovie…*) ne concernent pas notre policier de choc et de charme. Sont mentionnés dans les « Hors-Collection » ci-dessous uniquement les romans dans lesquels figure le *Commissaire San-Antonio !*

- **L'HISTOIRE DE FRANCE VUE PAR SAN-ANTONIO**, 1964 – réédité en 1997 sous le titre **HISTOIRE DE FRANCE**

- **LE STANDINGE SELON BÉRURIER**, 1965 – réédité en 1999 sous le titre **LE STANDINGE**

- **BÉRU ET CES DAMES**, 1967 – réédité en 2000

- **LES VACANCES DE BÉRURIER**, 1969 – réédité en 2001

- **BÉRU-BÉRU**, 1970 – réédité en 2002

- **LA SEXUALITÉ**, 1971 – réédité en 2003

- **LES CON**, 1973 – réédité en 2004

- **SI QUEUE-D'ÂNE M'ÉTAIT CONTÉ**, 1976 (aventure entièrement vécue et racontée par Bérurier) – réédité en 1998 sous le titre *QUEUE D'ÂNE*

- **NAPOLÉON POMMIER**, 2000

→ Paru en 2001 dans un format « moyen » non numéroté, **CÉRÉALES KILLER** est bien le 175e roman de la série *San-Antonio*. Réédité en poche en 2003.

2. Guide thématique de la série « San-Antonio »

Les aventures de San-Antonio sont d'une telle richesse que toute tentative pour les classifier ne prêterait – au mieux – qu'à sourire si l'on devait s'en tenir là. Une mise en schéma d'une telle œuvre n'a d'intérêt que comme jalon, à dépasser d'urgence pour aller voir « sur place ». Comment rendre compte d'une explosion permanente ? Ce petit guide thématique n'est donc qu'une « approche », partielle, réductrice, observation d'une constellation par le tout petit bout de la lorgnette. San-Antonio, on ne peut le connaître qu'en le lisant, tout entier, en allant se regarder soi-même dans le miroir que nous tend cet auteur de génie, le cœur et les yeux grands ouverts.

Dans les 175 romans numérotés parus au Fleuve Noir, on peut dénombrer, en simplifiant à l'extrême, 10 types de récits différents. Bien entendu, les sujets annexes abondent ! C'est pourquoi seul a été relevé ce qu'on peut estimer comme le thème « principal » de chaque livre.

Le procédé vaut ce qu'il vaut, n'oublions pas que « simplifier c'est fausser ». Mais il permet – en gros, en très gros ! – de savoir de quoi parlent les *San-Antonio,* sur le plan « polar ». J'insiste : gardons à l'esprit que là n'est pas le plus important. *Le plus important, c'est ce qui se passe entre le lecteur et l'auteur, et qu'on ne pourra jamais classer dans telle ou telle catégorie.*

Avertissement

Comme il serait beaucoup trop long de reprendre tous les titres, seuls leurs *numéros* sont indiqués sous chaque rubrique. ATTENTION : ce sont les numéros de la collection « *San-Antonio* » référencée **S-A** dans la bibliographie ! En effet, les ouvrages de cette collection sont et seront encore disponibles pendant longtemps.

Néanmoins, ces numéros sont chaque fois rangés dans l'ordre chronologique des parutions, du plus ancien roman au plus récent.

A. Aventures de Guerre, ou faisant suite à la Guerre.

Pendant le conflit 39-45, San-Antonio est l'as des *Services Secrets*. Résistance, sabotages, chasse aux espions avec actions d'éclat. On plonge ici dans la « guerre secrète ».

→ S-A **107** (reprise du tout premier roman de 1949) • S-A **43** • S-A **44** • S-A **47**

Dans les années d'après-guerre, le commissaire poursuit un temps son activité au parfum de contre-espionnage (espions à identifier, anciens collabos, règlements de comptes, criminels de guerre, trésors de guerre). Ce thème connaît certains prolongements, bien des années plus tard.

→ S-A **45** • S-A **50** • S-A **63** • S-A **68** • S-A **78**

B. Lutte acharnée contre anciens (ou néo-)nazis

La Guerre n'est plus du tout le « motif » de ces aventures, même si l'enquête oppose en général San-

Antonio à d'anciens nazis, avec un fréquent *mystère à éluCider.* C'est pourquoi il était plus clair d'ouvrir une nouvelle rubrique. Les ennemis ont changé d'identité et refont surface, animés de noires intentions ; à moins qu'il s'agisse de néo-nazis, tout aussi malfaisants.

→ S-A **54** • S-A **58** • S-A **59** • S-A **38** • S-A **92** • S-A **93** • S-A **42** • S-A **123** • S-A **151**

C. San-Antonio opposé à de dangereux trafiquants

Le plus souvent en mission à l'étranger, San-Antonio risque sa vie pour venir à bout d'individus ou réseaux qui s'enrichissent dans le trafic de la drogue, des armes, des diamants… Les aventures démarrent pour une autre raison puis le trafic est découvert et San-Antonio se lance dans la bagarre.

→ S-A **3** • S-A **65** • S-A **67** • S-A **18** • S-A **14** • S-A **110** • S-A **159**

D. San-Antonio contre Sociétés Secrètes : un homme traqué !

De puissantes organisations ne reculent devant rien pour conquérir pouvoir et richesse : *Mafia* (affrontée par ailleurs de manière « secondaire ») ou *sociétés secrètes* asiatiques. Elles feront de notre héros un homme traqué, seul contre tous. Il ne s'en sortira qu'en déployant des trésors d'ingéniosité et de courage.

→ S-A **51** • S-A **138** • S-A **144** • S-A **160** • S-A **170** • S-A **171** • S-A **172** • S-A **173**

Certains réseaux internationaux visent moins le profit que le chaos universel. San-Antonio doit alors défier lors d'aventures échevelées des groupes *terroristes* qui cherchent à dominer le monde. Frissons garantis !

→ S-A **34** • S-A **85** • S-A **103** • S-A **108**

E. Aventures *personnelles :* épreuves physiques et morales

Meurtri dans sa chair et ses sentiments, San-Antonio doit *s'arracher à des pièges mortels.* Sa « personne » – sa famille, ses amis – est ici directement visée par des individus pervers et obstinés. Jeté aux enfers, il remonte la pente et nous partageons ses tourments. C'est sans doute la raison pour laquelle plusieurs de ces romans prennent rang de *chefs-d'œuvre.* Bien souvent, le lecteur en sort laminé par les émotions éprouvées, ayant tout vécu de l'intérieur !

→ S-A **61** • S-A **70** • S-A **86** • S-A **27** • S-A **97** • S-A **36** • S-A **111** • S-A **122** • S-A **131** • S-A **132** • S-A **139** • S-A **140** • S-A **174** • **175**

F. À la poursuite de voleurs ou de meurtriers

Pour autant, on peut rarement parler de polars « classiques ». Ce sont clairement des *enquêtes,* mais à la manière (forte) de San-Antonio !

• Enquêtes « centrées » sur le vol ou l'escroquerie

Les meurtres n'y manquent pas, mais l'affaire tourne toujours autour d'un vol (parfois chantage, ou fausse monnaie…). Peu à peu, l'étau se resserre autour des malfaiteurs, que San-Antonio, aux méthodes « risquées », finit par ramener dans ses filets grâce à son cerveau, ses poings et ses adjoints.

→ S-A **2** • S-A **62** • S-A **73** • S-A **80** • S-A **10** • S-A **25** • S-A **90** • S-A **113** • S-A **149**

• **Enquêtes « centrées » sur le meurtre**

À l'inverse, ces aventures ont le meurtre pour fil conducteur. San-Antonio doit démêler l'écheveau et mettre la main sur le coupable, en échappant bien des fois à la mort. Vol et chantage sont encore d'actualité, mais au second plan.

→ S-A **55** • S-A **8** • S-A **76** • S-A **9** • S-A **5** • S-A **81** • S-A **83** • S-A **84** • S-A **41** • S-A **22** • S-A **23** • S-A **28** • S-A **35** • S-A **94** • S-A **17** • S-A **26** • S-A **60** • S-A **100** • S-A **116** • S-A **127** • S-A **128** • S-A **129** • S-A **133** • S-A **135** • S-A **137** • S-A **143** • S-A **145** • S-A **152** • S-A **161** • S-A **163**

• (Variante) **Vols ou meurtres** *dans le cadre d'une même famille*

→ S-A **4** • S-A **7** • S-A **74** • S-A **46** • S-A **91** • S-A **114** • S-A **141** • S-A **148** • S-A **154** • S-A **165**

G. Affaires d'enlèvements

Double but à cette *poursuite impitoyable* : retrouver les ravisseurs et préserver les victimes !

→ S-A **56** (porté à l'écran sous le titre *Sale temps pour les mouches*) • S-A **16** • S-A **13** • S-A **19** • S-A **39** • S-A **52** • S-A **118** • S-A **125** • S-A **126** • S-A **136** • S-A **158**

H. Attentats ou complots contre hauts personnages

Chaque récit tourne autour d'un attentat – visant souvent la sécurité d'un état – que San-Antonio doit à tout prix empêcher, à moins qu'il n'ait pour mission de… l'organiser au service de la France !

→ • S-A **48** • S-A **77** • S-A **11** • S-A **21** • S-A **88** • S-A **96** • S-A **33** • S-A **95** • S-A **98** • S-A **102** • S-A **106** • S-A **109** • S-A **120** • S-A **124** • S-A **130**

I.   Une aiguille dans une botte de foin !

À partir d'indices minuscules, San-Antonio doit *mettre la main sur un individu, une invention, un document* d'un intérêt capital. Chien de chasse infatigable, héroïque, il ira parfois au bout du monde pour dénicher sa proie.

→ S-A **49** • S-A **53** • S-A **57** • S-A **66** • S-A **71** • S-A **72** • S-A **40** • S-A **15** • S-A **12** • S-A **87** • S-A **24** • S-A **29** • S-A **31** • S-A **37** • S-A **89** • S-A **20** • S-A **30** • S-A **69** • S-A **75** • S-A **79** • S-A **82** • S-A **101** • S-A **104** • S-A **105** • S-A **112** • S-A **115** • S-A **117** • S-A **119** • S-A **121** • S-A **134** • S-A **142** • S-A **146** • S-A **147** • S-A **150** • S-A **153** • S-A **156** • S-A **157** • S-A **164** • S-A **166** • S-A **167**

J. Aventures aux thèmes entremêlés

Quelques récits n'ont pris place – en priorité du moins – dans aucune des rubriques précédentes. Pour ceux-là, le choix aurait été artificiel car aucun des motifs ne se détache du lot : ils s'ajoutent ou s'insèrent l'un dans l'autre. La caractéristique est donc ici *l'accumulation des thèmes*.

→ S-A **32** • S-A **99** • S-A **1** • S-A **6** • S-A **64** • S-A **155** • S-A **162** • S-A **168** • S-A **169**

SANS OUBLIER...

Voilà donc répartis en thèmes simplistes *tous* les ouvrages de la série. Mais les préférences de chacun sont multiples. Plus d'un lecteur choisira de s'embarquer dans un « San-Antonio » pour des raisons fort éloignées de la thématique du polar. Encore heureux ! On dépassera alors le point de vue du spécialiste, pour ranger de nombreux titres sous des bannières différentes. Avec un regard de plus en plus coloré par l'affection.

Note

Contrairement à ce qui précède, certains numéros vont apparaître ici à plusieurs reprises. C'est normal : on peut tout à la fois éclater de rire, pleurer, s'émerveiller, frissonner, s'émouvoir... dans un même *San-Antonio* !

• *Incursions soudaines dans le fantastique*

Au cours de certaines affaires, on bascule tout à coup dans une ambiance mystérieuse, avec irruption du « fantastique ». San-Antonio se heurte à des faits *étranges :* sorcellerie, paranormal, envoûtement…

→ S-A **28** • S-A **20** • S-A **129** • S-A **135** • S-A **139** • S-A **140** • S-A **152** • S-A **172** • S-A **174**

• *Inventions redoutables et matériaux extraordinaires*

Dans plusieurs romans, le recours à un attirail futuriste entraîne une irruption soudaine de la *science-fiction.* Il arrive même qu'il serve de motif au récit. Voici un échantillon de ces découvertes fabuleuses pour lesquelles on s'entretue :

Objectif fractal (un grain de beauté photographié par satellite !), réduction d'un homme à 25 cm, armée tenue en réserve par cryogénisation, échangeur de personnalité, modificateur de climats, neutraliseur de volonté, lunettes de télépathie, forteresse scientifique édifiée sous la Méditerranée, fragment d'une météorite transformant la matière en glace, appareil à ôter la mémoire, microprocesseur réactivant des cerveaux morts, et j'en passe… !

→ S-A **57** • S-A **12** • S-A **41** • S-A **23** • S-A **34** • S-A **35** • S-A **37** • S-A **89** • S-A **17** • S-A **20** • S-A **30** • S-A **64** • S-A **69** • S-A **75** • S-A **105** • S-A **123** • S-A **129** • S-A **146**

• *Savants fous et terrifiantes expériences humaines*
→ S-A **30** • S-A **52** • S-A **116** • S-A **127** • S-A **163**

- ● *Romans « charnière »*

Sont ainsi désignés les romans où apparaît pour la première fois un nouveau personnage, qui prend définitivement place aux côtés de San-Antonio.

S-A **43** : Félicie (sa mère), *en 1950*.

S-A **45** : Le Vieux (Achille), *en 1952*.

S-A **49** : Bérurier, *en 1953*.

S-A **53** : Pinaud, *en 1954*.

S-A **66** : Berthe (première apparition physique), *en 1957*.

S-A **37** : Marie-Marie, *en 1968*.

S-A **94** : Toinet (ou Antoine, le fils adoptif de San-Antonio), *en 1971*.

S-A **128** : Jérémie Blanc, *en 1986*.

S-A **168** : Salami, en *1997*.

S-A **173** : Antoinette (fille de San-Antonio et Marie-Marie), en *1999*.

Mathias, le technicien rouquin, est apparu peu à peu, sous d'autres noms.

- ● *Bérurier et Pinaud superstars !*

Le Gros, l'Inénarrable, Béru ! est sans conteste le plus brillant « second » du commissaire San-Antonio. Présent dans la majorité des romans, il y déploie souvent une activité débordante. Sans se hisser au même niveau, le doux et subtil Pinaud tient aussi une place de choix…

- · *participation* importante *de Bérurier*

→ S-A **18** • S-A **10** • S-A **11** • S-A **14** • S-A **22** • S-A **88** • S-A **23** • S-A **24** • S-A **27** • S-A **28** • S-A **32** • S-A **34** • S-A **37** • S-A **89** • S-A **90** • S-A **93** • S-A **97** •

S-A **1** • S-A **20** • S-A **30** • S-A **33** • S-A **46** • S-A **52** •
S-A **75** • S-A **101** • S-A **104** • S-A **109** • S-A **116** • S-A **126** • S-A **145** • S-A **163** • S-A **166**

N'oublions pas les « Hors-Collection », avec notamment *Queue d'âne* où Bérurier est seul présent de bout en bout !

• *participation* importante *de Bérurier* et *Pinaud*
→ S-A **12** • S-A **87** • S-A **25** • S-A **35** • S-A **96** • S-A **105** • S-A **111** • S-A **148** (fait exceptionnel : San-Antonio ne figure pas dans ce roman !) • S-A **156**

● *Marie-Marie, de l'enfant espiègle à la femme mûre*
Dès son apparition, Marie-Marie a conquis les lecteurs. La fillette malicieuse, la « Musaraigne » éblouissante de *Viva Bertaga* qui devient femme au fil des romans est intervenue dans plusieurs aventures de San-Antonio.

• *Fillette espiègle et débrouillarde :*
→ S-A **37** • S-A **38** • S-A **39** • S-A **92** • S-A **99**

• *Adolescente indépendante et pleine de charme :*
→ S-A **60** • S-A **69** • S-A **85**

• *Belle jeune femme, intelligente et profonde :*
Il ne s'agit parfois que d'apparitions intermittentes.
→ S-A **103** • S-A **111** • S-A **119** • S-A **120** • S-A **131** (où Marie-Marie devient veuve !) • S-A **139** • S-A **140** • S-A **152**

• *Femme mûre, mère d'Antoinette (fille de San-Antonio) :*
→ S-A **173** • S-A **174** • **175**

- ### *Le rire*

Passé la première trentaine de romans (et encore !), le *rire* a sa place dans toutes les aventures de San-Antonio, si l'humour, lui, est *partout,* y compris au cœur de la colère, de l'amour et de la dérision. Mais plusieurs aventures atteignent au délire et nous transportent vraiment d'hilarité par endroits. Dans cette catégorie décapante, on conseillera vivement :

→ S-A **10** • S-A **14** • S-A **87** • S-A **88** • S-A **23** • S-A **25** • S-A **2** • S-A **35**

Y ajouter, là encore, tous les « Hors-Collection ». Qui n'a pas lu *Le Standinge, Béru-Béru* ou *Les vacances de Bérurier* n'a pas encore exploité son capital rire. Des romans souverains contre la morosité, qui devraient être remboursés par la Sécurité Sociale !

- ### *Grandes épopées planétaires*

San-Antonio – le plus souvent accompagné de Bérurier – nous entraîne aux quatre coins de la planète dans des aventures épiques et « colossales ». Humour, périls mortels, action, rebondissements.

→ S-A **10** • S-A **87** • S-A **88** • S-A **24** • S-A **37** • S-A **89**

- ### *Les « inoubliables »*

Je rangerais sous ce titre quelques romans-choc (dont certains ont déjà été cités plusieurs fois, notamment dans les épopées ci-dessus). On tient là des *chefs-d'œuvre,* où l'émotion du lecteur est à son comble. Bien sûr, c'est subjectif, mais quel autre critère adopter pour ce qui relève du coup de cœur ? Lisez-les : vous serez vite convaincus !

→ S-A **61** • S-A **70** • S-A **83** • S-A **10** • S-A **87** • S-A **88** • S-A **24** • S-A **25** • S-A **37** • S-A **111** • S-A **132** • S-A **140**

POUR FINIR...

Il ne me reste plus qu'à souhaiter à tous ceux qui découvrent les aventures de San-Antonio (comme je les envie !) des voyages colorés, passionnants, émouvants, trépidants, surprenants, pathétiques, burlesques, magiques, étranges, inattendus ; des séjours enfiévrés ; des rencontres mémorables ; des confidences où l'intime se mêle à l'épopée.

Quant aux autres, ils savent déjà tout ça, n'est-ce pas ?

Ce qui ne les empêche pas de revisiter à tout instant la série *San-Antonio,* monument de la littérature d'évasion, pour toujours inscrit à notre patrimoine.

Raymond Milési

Correspondance entre l'ancienne numérotation de la collection « San-Antonio » et la nouvelle numérotation chronologique *portée sur chaque roman réimprimé à partir de 2003.*

S-A	→	*chrono*			
S-A 1	→	*80*	S-A 29	→	*64*
S-A 2	→	*9*	S-A 30	→	*85*
S-A 3	→	*10*	S-A 31	→	*65*
S-A 4	→	*11*	S-A 32	→	*66*
S-A 5	→	*38*	S-A 33	→	*86*
S-A 6	→	*81*	S-A 34	→	*67*
S-A 7	→	*31*	S-A 35	→	*68*
S-A 8	→	*32*	S-A 36	→	*87*
S-A 9	→	*37*	S-A 37	→	*69*
S-A 10	→	*48*	S-A 38	→	*70*
S-A 11	→	*49*	S-A 39	→	*71*
S-A 12	→	*50*	S-A 40	→	*30*
S-A 13	→	*51*	S-A 41	→	*55*
S-A 14	→	*53*	S-A 42	→	*88*
S-A 15	→	*39*	S-A 43	→	*2*
S-A 16	→	*40*	S-A 44	→	*3*
S-A 17	→	*82*	S-A 45	→	*4*
S-A 18	→	*47*	S-A 46	→	*89*
S-A 19	→	*52*	S-A 47	→	*5*
S-A 20	→	*83*	S-A 48	→	*6*
S-A 21	→	*54*	S-A 49	→	*7*
S-A 22	→	*56*	S-A 50	→	*8*
S-A 23	→	*59*	S-A 51	→	*12*
S-A 24	→	*60*	S-A 52	→	*90*
S-A 25	→	*61*	S-A 53	→	*13*
S-A 26	→	*84*	S-A 54	→	*14*
S-A 27	→	*62*	S-A 55	→	*15*
S-A 28	→	*63*	S-A 56	→	*16*

S-A 57	→	17	S-A 83	→	44
S-A 58	→	18	S-A 84	→	45
S-A 59	→	19	S-A 85	→	97
S-A 60	→	91	S-A 86	→	46
S-A 61	→	20	S-A 87	→	57
S-A 62	→	21	S-A 88	→	58
S-A 63	→	22	S-A 89	→	72
S-A 64	→	92	S-A 90	→	73
S-A 65	→	23	S-A 91	→	98
S-A 66	→	24	S-A 92	→	74
S-A 67	→	25	S-A 93	→	75
S-A 68	→	26	S-A 94	→	76
S-A 69	→	93	S-A 95	→	99
S-A 70	→	27	S-A 96	→	77
S-A 71	→	28	S-A 97	→	78
S-A 72	→	29	S-A 98	→	100
S-A 73	→	33	S-A 99	→	79
S-A 74	→	34	S-A 100	→	101
S-A 75	→	94	S-A 101	→	102
S-A 76	→	35	S-A 102	→	103
S-A 77	→	36	S-A 103	→	104
S-A 78	→	41	S-A 104	→	105
S-A 79	→	95	S-A 105	→	106
S-A 80	→	42	S-A 106	→	107
S-A 81	→	43	S-A 107	→	1
S-A 82	→	96			

À partir du n° **108**, les numéros de la collection « **S-A** » coïncident exactement avec les numéros *chronologiques*.

R. Milési

Cet ouvrage a été imprimé en France par

C P I
Bussière

à Saint-Amand-Montrond (Cher)
en mars 2009

FLEUVE NOIR
12, avenue d'Italie
75627 Paris Cedex 13

— N° d'imp. : 90448. —
Dépôt légal : avril 2009.